D1600891

WHAT I LOVE

SELECTED POEMS OF

ODYSSEAS

ELYTIS

WHAT I LOVE

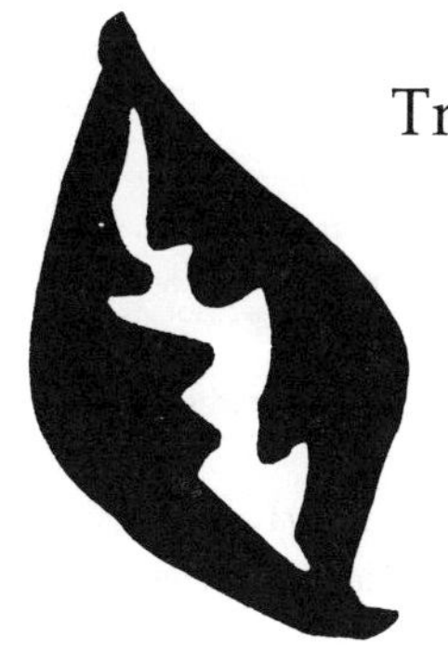

Translated from the Greek by

OLGA BROUMAS

Copper Canyon Press : Port Townsend

Printed in the United States of America.
ISBN 0-914742-91-4 (paper)
ISBN 0-914742-95-7 (cloth)
Library of Congress Catalog Card Number 85-73081

Grateful acknowledgment is made to *American Poetry Review, Willow Springs,* and *Zyzzyva*: periodicals in which poems from this book first appeared.

The Greek publisher of the original text is Ikaros Books.

A cassette tape of the poems in this book read by Odysseas Elytis and Olga Broumas is available from Watershed.

A complete translation of *Maria Nephele*, as translated by Athan Anagnostopoulos, was published in 1981 by Houghton Mifflin Company.
The publication of this book is made possible by a grant from the National Endowment for the Arts.

Copper Canyon Press is in residence with Centrum at Fort Worden State Park.

The type in this book is Aldus.
The cut-outs by Odysseas Elytis are from his book of aphorisms.

Copper Canyon Press
Post Office Box 271
Port Townsend, WA 98368

Contents

TRANSLATOR'S NOTE

THE POETRY of Odysseas Elytis has been a homeland to me since my arrival in this country in 1967. His song burns the senses as the Greek sun and sea burn daily and annually into the skin, and his dignity is of my people, joyous, active.

Elytis makes full use of the grammatical and syntactical fluidity of Greek for his word order, gender, mood, rhythm, tense, and regional evocation, and I have tried to honor his choices within the limits of English. Line by line, the poems nearly match their original.

I have chosen to give Elytis's *voice* in English, and being true to his voice is to create an English with an accent, idiosyncratic, true to the man whose sensibility is born of and flowers in a cultural and syntactical grammar foreign to a world shaped and expressed by English.

It is this world, for me best seen and sung in my time by Odysseas Elytis, that I wish especially to share here, *as is*, as the food is served in a taverna by the sea of Marathiás near my father's village, subject to the mood of the day and the region, not food made familiar for the foreigner at the urban strip.

The poet is known to his Greek and some of his international audience as Odysseas Elytis. He uses and prefers the contemporary form of Odysseas to the latinate Odysseus.

I am elated to have made of myself a home where his music may sing of itself again. And I want to thank Jane Miller, Rita Speicher, Sam Hamill, Tree Swenson, Stanley Kunitz, IKAROS, and, especially, Claire Broumas for their assistance and support.

—OLGA BROUMAS

CHRONOLOGY

SUN THE FIRST : 1943; from *Sun the First with Variations on a Sunbeam.*

THE HYACINTH SYMPHONY : 1939; from *Orientations.*

FAMOUS NIGHT : 1939; from *Orientations.*

ODE TO PICASSO : 1948; uncollected until 1974; in *The Half-siblings.*

BEAUTY AND THE ILLITERATE : 1960; from *Six and One Regrets for the Sky.*

DAUGHTER THE NORTH WIND WAS BRINGING : 1979; from *The Tree of Light and the Fourteenth Beauty.*

SMALL GREEN SEA : 1979; from *The Tree of Light and the Fourteenth Beauty.*

VILLA NATACHA : 1973; part one of a three-part poem, first published in *Tram*, with an original sketch by Picasso, a colored lithograph by Laurens, and Matisse decorations from the journal *Verve.*

THE MONOGRAM : 1972; a book-length poem.

MARIA NEFELE : 1978; a book-length poem, from which I have given parts in the dialogue format of the book, but out of sequence. *Nefele* is the feminine form of *nefos*, cloud. In its plural form, *Nefelæ*, it was the name given to the gods of the new natural order in Aristophanes' play by that name.

Villa Natacha and *The Monogram* were written while the poet was away from Greece, in the difficult years of the military dictatorship.

WHAT I LOVE

Because tears are also
Homeland that isn't lost
There where they shone sometime later
Truth arrived.

from the poem
ELYTONESOS,
COMMONLY ELYTISLE

ΗΛΙΟΣ Α΄

Ἔτσι συχνὰ ὅταν μιλῶ γιὰ τὸν ἥλιο
μπερδεύεται στὴ γλῶσσα μου ἕνα
μεγάλο τριαντάφυλλο κατακόκκινο.
Ἀλλὰ δὲν μοῦ εἶναι βολετὸ νὰ σωπάσω.

I

Δὲν ξέρω πιὰ τὴ νύχτα φοβερὴ ἀνωνυμία θανάτου
Στὸ μυχὸ τῆς ψυχῆς μου ἀράζει στόλος ἄστρων.
Ἕσπερε φρουρὲ γιὰ νὰ λάμπεις πλάι στὸ οὐρανὶ
Ἀεράκι ἑνὸς νησιοῦ ποὺ μὲ ὀνειρεύεται
Ν' ἀναγγέλλω τὴν αὐγὴ ἀπὸ τὰ ψηλά του βράχια
Τὰ δυὸ μάτια μου ἀγκαλιὰ σὲ πλέουνε μὲ τὸ ἄστρο
Τῆς σωστῆς μου καρδιᾶς: Δὲν ξέρω πιὰ τὴ νύχτα.

Δὲν ξέρω πιὰ τὰ ὀνόματα ἑνὸς κόσμου ποὺ μ' ἀρνιέται
Καθαρὰ διαβάζω τὰ ὄστρακα τὰ φύλλα τ' ἄστρα
Ἡ ἔχτρα μοῦ εἶναι περιττὴ στοὺς δρόμους τ' οὐρανοῦ
Ἐξὸν κι ἂν εἶναι τ' ὄνειρο ποὺ μὲ ξανακοιτάζει
Μὲ δάκρυα νὰ διαβαίνω τῆς ἀθανασίας τὴ θάλασσα
Ἕσπερε κάτω ἀπ' τὴν καμπύλη τῆς χρυσῆς φωτιᾶς σου
Τὴ νύχτα ποὺ εἶναι μόνο νύχτα δὲν τὴν ξέρω πιά.

II

ΣΩΜΑ ΤΟΥ ΚΑΛΟΚΑΙΡΙΟΥ

Πάει καιρὸς ποὺ ἀκούστηκεν ἡ τελευταία βροχὴ
Πάνω ἀπὸ τὰ μυρμήγκια καὶ τὶς σαῦρες
Τώρα ὁ οὐρανὸς καίει ἀπέραντος
Τὰ φροῦτα βάφουνε τὸ στόμα τους
Τῆς γῆς οἱ πόροι ἀνοίγουνται σιγὰ-σιγὰ
Καὶ πλάι ἀπ' τὸ νερὸ ποὺ στάζει συλλαβίζοντας
Ἕνα πελώριο φυτὸ κοιτάει κατάματα τὸν ἥλιο!

Ποιός εἶναι αὐτὸς ποὺ κείτεται στὶς πάνω ἀμμουδιὲς
Ἀνάσκελα φουμέρνοντας ἀσημοκαπνισμένα ἐλιόφυλλα

SUN THE FIRST

So often when I speak of the sun
In my tongue becomes tangled one
Large rose full of red.
But it is not bearable for me to be silent.

I

I don't know anymore the night terrible anonymity of death
In the small turn of my soul a fleet of stars comes to port.
Guard of evening because you shine next to the sky-colored
Little wind of an island that dreams of me
Proclaiming the dawn from its tall boulders
My two eyes embrace and sail you with the star
Of my correct heart: I don't know anymore the night.

I don't know anymore the names of a people that deny me
Clearly I read the shells the leaves the stars
Enmity is useless for me on the roads of the sky
Unless it is a dream that sees me once again
In tears walking through the sea of deathlessness
Evening under the curve of your golden fire
Night that is only night I do not know her.

II

BODY OF SUMMER

Time has gone since the last rain was heard
Over the ants and the lizards
Now sky burns without end
Fruit paint their mouth
Earth's pores open slowly slowly
And next to the water that drips syllabically
A huge plant looks the sun eye to eye!

Who is it lies on the high beaches
On his back toking silversmoked olive leaves

Τὰ τζιτζίκια ζεσταίνονται στ' αὐτιά του
Τὰ μυρμήγκια δουλεύουνε στὸ στῆθος του
Σαῦρες γλιστροῦν στὴ χλόη τῆς μασχάλης
Κι ἀπὸ τὰ φύκια τῶν ποδιῶν του ἀλαφροπερνᾶ ἕνα κύμα
Σταλμένο ἀπ' τὴ μικρὴ σειρήνα ποὺ τραγούδησε:

Ὦ σῶμα τοῦ καλοκαιριοῦ γυμνὸ καμένο
Φαγωμένο ἀπὸ τὸ λάδι κι ἀπὸ τὸ ἁλάτι
Σῶμα τοῦ βράχου καὶ ρίγος τῆς καρδιᾶς
Μεγάλο ἀνέμισμα τῆς κόμης λυγαριᾶς
Ἄχνα βασιλικοῦ πάνω ἀπὸ τὸ σγουρὸ ἐφηβαῖο
Γεμάτο ἀστράκια καὶ πευκοβελόνες
Σῶμα βαθὺ πλεούμενο τῆς μέρας!

Ἔρχονται σιγανὲς βροχὲς ραγδαῖα χαλάζια
Περνᾶν δαρμένες οἱ στεριὲς στὰ νύχια τοῦ χιονιᾶ
Ποὺ μελανιάζει στὰ βαθιὰ μ' ἀγριεμένα κύματα
Βουτᾶνε οἱ λόφοι στὰ πηχτὰ μαστάρια τῶν νεφῶν

Ὅμως καὶ πίσω ἀπ' ὅλα αὐτὰ χαμογελᾶς ἀνέγνια
Καὶ ξαναβρίσκεις τὴν ἀθάνατη ὥρα σου
Ὅπως στὶς ἀμμουδιὲς σὲ ξαναβρίσκει ὁ ἥλιος
Ὅπως μέσ' στὴ γυμνή σου ὑγεία ὁ οὐρανός.

III

Μέρα στιλπνὴ ἀχιβάδα τῆς φωνῆς ποὺ μ' ἔπλασες
Γυμνὸν νὰ περπατῶ στὶς καθημερινές μου Κυριακὲς
Ἀνάμεσ' ἀπὸ τῶν γιαλῶν τὰ καλωσόρισες
Φύσα τὸν πρωτογνώριστο ἄνεμο
Ἅπλωσε μιὰ πρασιὰ στοργῆς
Γιὰ νὰ κυλήσει ὁ ἥλιος τὸ κεφάλι του
Ν' ἀνάψει μὲ τὰ χείλια του τὶς παπαροῦνες
Τὶς παπαροῦνες ποὺ θὰ δρέψουν οἱ περήφανοι ἄνθρωποι
Γιὰ νὰ μὴν εἶναι ἄλλο σημάδι στὸ γυμνό τους στῆθος
Ἀπὸ τὸ αἷμα τῆς ἀψηφισιᾶς ποὺ ξέγραψε τὴ θλίψη
Φτάνοντας ὥς τὴ μνήμη τῆς ἐλευθερίας.

The cicadas are warmed in his ears
Ants work in his chest
Lizards slide in the grass of underarm
And from his feet's kelp a wave lightly passing
Sent by the young siren who sang:

O body of summer nude burnt
Eaten by oil and by salt
Body of boulder and shiver of heart
Large windblown of the hair tree-graceful
Basilbreath over the curly pubes
Full of small stars and fir needles
Body deep sailship of the day!

Slow rains come rapid hailstorms
Land slinks by whipped in the nails of the snow
That bruises in the depths with savage waves
The hills plunge in the clouds' thick teats

And yet behind it all you smile without care
And find again your immortal hour
As the sun on the beaches finds you again
As in your naked health the sun

III

Day shiny shell of the voice you made me by
Naked to walk in my daily Sundays
Among the welcome of the shores
Blow the first-known wind
Spread out the greens of tenderness
So that the sun may loll his head
And light the poppies with his lips
The poppies that the proud will scythe
To keep no sign on their naked chest
But the blood of defiance that undoes sorrow
Arriving at the memory of freedom.

Εἶπα τὸν ἔρωτα τὴν ὑγεία τοῦ ρόδου τὴν ἀχτίδα
Ποὺ μονάχη ὁλόισα βρίσκει τὴν καρδιὰ
Τὴν Ἑλλάδα ποὺ μὲ σιγουριὰ πατάει στὴ θάλασσα
Τὴν Ἑλλάδα ποὺ μὲ ταξιδεύει πάντοτε
Σὲ γυμνὰ χιονόδοξα βουνά.

Δίνω τὸ χέρι στὴ δικαιοσύνη
Διάφανη κρήνη κορυφαία πηγὴ
Ὁ οὐρανός μου εἶναι βαθὺς κι ἀνάλλαχτος
Ὅ,τι ἀγαπῶ γεννιέται ἀδιάκοπα
Ὅ,τι ἀγαπῶ βρίσκεται στὴν ἀρχή του πάντα.

IV

Πίνοντας ἥλιο κορινθιακὸ
Διαβάζοντας τὰ μάρμαρα
Δρασκελίζοντας ἀμπέλια θάλασσες
Σημαδεύοντας μὲ τὸ καμάκι
Ἕνα τάμα ψάρι ποὺ γλιστρᾶ
Βρῆκα τὰ φύλλα ποὺ ὁ ψαλμὸς τοῦ ἥλιου ἀποστηθίζει
Τὴ ζωντανὴ στεριὰ ποὺ ὁ πόθος χαίρεται
Ν' ἀνοίγει.

Πίνω νερὸ κόβω καρπὸ
Χώνω τὸ χέρι μου στὶς φυλλωσιὲς τοῦ ἀνέμου
Οἱ λεμονιὲς ἀρδεύουνε τὴ γύρη τῆς καλοκαιριᾶς
Τὰ πράσινα πουλιὰ σκίζουν τὰ ὄνειρά μου
Φεύγω μὲ μιὰ ματιὰ
Ματιὰ πλατειὰ ὅπου ὁ κόσμος ξαναγίνεται
Ὄμορφος ἀπὸ τὴν ἀρχὴ στὰ μέτρα τῆς καρδιᾶς.

I spoke the love the health of the rose the ray
That alone directly finds the heart
Greece who with certainty steps on the sea
Greece who travels me always
On naked snow-glorious mountains.

I give my hand to justice
Transparent fountain source at the peak
My sky is deep and unaltered
What I love is always being born
What I love is beginning always.

IV

Drinking Corinthian sun
Reading the marbles
Climbing over arbor seas
Targeting with the fishing spear
A covenant fish that slips
I found the leaves the sun's psalm has by heart
The live dry land desire rejoices
To open.

I drink water I cut fruit
I shove my hand in the leafy wind
The lemon trees irrigate the pollen of summer
Green birds tear my dreams
I leave in a glance
Eyes wide where the world becomes again
Beautiful from the beginning to the measurement of the heart.

Η ΣΥΝΑΥΛΙΑ ΤΩΝ ΓΥΑΚΙΝΘΩΝ

I

Στάσου λιγάκι πιὸ κοντὰ στὴ σιωπὴ καὶ μάζεψε τὰ μαλλιὰ τῆς νύχτας αὐτῆς ποὺ ὀνειρεύεται γυμνὸ τὸ σῶμα της. Ἔχει πολλοὺς ὁρίζοντες, πολλὲς πυξίδες, καὶ μιὰ μοίρα ποὺ καίει ἀκούραστη κάθε φορὰ καὶ τὰ πενήντα δύο χαρτιά της. Ὕστερα ξαναρχίζει μὲ κάτι ἄλλο — μὲ τὸ χέρι σου, ποὺ τοῦ δίνει μαργαριτάρια γιὰ νὰ βρεῖ ἕναν πόθο, ἕνα νησίδιο ὕπνου.
Στάσου λιγάκι πιὸ κοντὰ στὴ σιωπὴ κι ἀγκάλιασε τὴν πελώριαν ἄγκυρα ποὺ ἡγεμονεύει στοὺς βυθούς. Σὲ λίγο θά 'ναι στὰ σύννεφα. Κι ἐσὺ δὲ θὰ καταλαβαίνεις, μὰ θὰ κλαῖς, θὰ κλαῖς γιὰ νὰ σὲ φιλήσω, κι ὅταν πάω ν' ἀνοίξω μιὰ σχισμὴ στὸ ψέμα, ἕνα μικρὸ γαλανὸ φεγγίτη στὴ μέθη, θὰ μὲ δαγκάσεις. Μικρή, ζηλιάρα τῆς ψυχῆς μου σκιά, γεννήτρα μιᾶς μουσικῆς κάτω ἀπ' τὸ σεληνόφωτο

Στάσου λιγάκι πιὸ κοντά μου.

IV

Πέντε χελιδόνια — πέντε λόγια ποὺ ἔχουν ἐσένα προορισμό. Κάθε λάμψη κλείνει ἀπάνω σου. Πρὶν ἁπλοποιηθεῖς σὲ χόρτο ἀφήνεις τὴ μορφή σου ἀπάνω στὸ βράχο ποὺ πονεῖ ἀνεμίζοντας τὶς φλόγες του πρὸς τὰ μέσα. Πρὶν γίνεις γεύση μοναξιᾶς τυλίγεις τὰ θυμάρια θύμησες.
Κι ἐγώ, φτάνω πάντοτε ἴσια στὴν ἀπουσία. Ἕνας ἦχος κάνει τὸ ρυάκι, κι ὅ,τι πῶ, ὅ,τι ἀγαπήσω μένει ἄθικτο στοὺς ἴσκιους του. Ἀθωότητες καὶ βότσαλα στὸ βυθὸ μιᾶς διαύγειας. Αἴσθηση κρυστάλλου.

THE HYACINTH SYMPHONY

I

Stand a little closer to the silence and gather the hair of this night drawing her naked body. It has many horizons, many composers, and a fate that burns tirelessly each time all fifty-two of her cards. Then she begins with something else – your hand, to which she gives pearls so it may find a desire, an inlet of sleep.
Stand a little closer to the silence and embrace the huge anchor that regales the depths. Soon, in the clouds. And you will not understand, but cry, cry for me to kiss you, and when I go to open a slit in the lie, a small blue skylight in intoxication, you'll bite me. Small, jealous of my soul shadow, breeder of a music under the moon.

Stand a little closer to me.

IV

Five swallows – five words with you as a destination. Each flash closes on you. Before becoming simplified as grass you leave your shape on a rock painfully waving its flames toward the interior. Before becoming a taste of loneliness you wrap the thyme shrubs in memories.
And I, I arrive always directly at absence. One sound makes the creek and what I say, what I love remains untouched in its shadows. Innocence and pebbles in clarity's depth. Crystal sensation.

VII

Συγκίνηση. Τὰ φύλλα τρέμουν ζώντας μαζὶ καὶ ζώντας χωριστὰ πάνω στὶς λεῦκες ποὺ μοιράζουν ἄνεμο. Πρὶν ἀπ' τὰ μάτια σου εἶναι αὐτὸς ποὺ φυγαδεύει αὐτὲς τὶς θύμησες, αὐτὰ τὰ βότσαλα — τὶς χίμαιρες! Ἡ ὥρα εἶναι ρευστὴ κι ἐσὺ στυλώνεσαι πάνω της ἀκάνθινη. Συλλογίζομαι αὐτοὺς ποὺ δὲ δεχτήκανε ποτὲ ναυαγοσωστικά. Ποὺ ἀγαποῦν τὸ φῶς κάτω ἀπ' τὰ βλεφάρα, ποὺ σὰ μεσουρανήσει ὁ ὕπνος ἄγρυπνοι μελετοῦνε τ' ἀνοιχτά τους χέρια.
Καὶ θέλω νὰ κλείσω τοὺς κύκλους ποὺ ἄνοιξαν τὰ δικά σου δάχτυλα, νὰ ἐφαρμόσω ἐπάνω τους τὸν οὐρανὸ γιὰ νὰ μὴν εἶναι πιὰ ποτὲ ὁ στερνός τους λόγος ἄλλος.

Μίλησέ μου· ἀλλὰ μίλησέ μου γιὰ δάκρυα.

X

Ἀκόμα μιὰ φορὰ μέσα στὶς κερασιὲς τὰ δυσεύρετα χείλη σου. Ἀκόμα μιὰ φορὰ μέσα στὶς φυτικὲς αἰῶρες τ' ἀρχαῖα σου ὄνειρα.Μιὰ φορὰ μέσα στ' ἀρχαῖα σου ὄνειρα τὰ τραγούδια ποὺ ἀνάβουν καὶ χάνονται. Μέσα σ' αὐτὰ ποὺ ἀνάβουν καὶ χάνονται τὰ ζεστὰ μυστικὰ τοῦ κόσμου. Τὰ μυστικὰ τοῦ κόσμου.

XIV

Νὰ ξαναγυρίζεις στὸ νησὶ τῆς ἀλαφρόπετρας μ' ἕνα τροπάριο ξεχασμένο ποὺ θὰ ζωντανεύει τὶς καμπάνες δίνοντας θόλους ὀρθρινούς στὶς πιὸ ξενιτεμένες θύμησες. Νὰ τινάζεις τὰ μικρὰ περβόλια ἔξω ἀπὸ τὴν καρδιά σου κι ὕστερα πάλι νὰ φιλεύεσαι ἀπ' τὴν ἴδια τους θλίψη. Νὰ μὴ νιώθεις τίποτε πάνω ἀπ' τοὺς αὐστηροὺς βράχους κι ὅμως ἡ μορφή σου ξαφνικὰ νὰ μοιάζει μὲ τὸν ὕμνο τους. Νὰ σὲ παίρνουν τ' ἀνώμαλα πέτρινα σκαλιὰ ψηλὰ ψηλὰ κι ἐκεῖ νὰ καρδιοχτυπᾶς ἔξω ἀπ' τὴν πύλη τοῦ καινούριου κόσμου. Νὰ μαζεύεις δάφνη καὶ μάρμαρο γιὰ τὴν ἄσπρη ἀρχιτεκτονικὴ τῆς τύχης σου.

Καὶ νά 'σαι ὅπως γεννήθηκες, τὸ κέντρο τοῦ κόσμου.

VII

Emotion. The leaves tremble living together and living apart on the poplars sharing the wind. Before your eyes one sets free memories, these pebbles—chimeras! Time is fluid and you steady on it, acanthine. I consider those who never accepted lifevests. Who love the light under the lids, who with sleep in midheaven sleeplessly study their open hands.
And I want to close the circles opened by your own fingers, to fit the sky on them so that their final word never be other.

Speak to me but speak of tears.

X

Once more among the cherry trees your hard-found lips. Once more among the vegetable swings your ancient dreams. Once, in your ancient dreams, the songs that light up and vanish. In those that light up and vanish the world's warm mysteries. The world's secrets.

XIV

You return to the pumice island with a short forgotten hymn that resurrects the bells, giving a matutinal dome to your most expatriate memories. You shake the small gardens from your heart and then again help yourself to their sorrow. You feel nothing above the severe boulders and yet suddenly your form resembles their singing. The irregular stone steps take you high, high and there are your heartbeats outside the gate of the new. You gather laurel and marble for the white architecture of your luck.

And you are as you were born, the world's center.

XVII

Τίποτε δὲν ἔμαθες ἀπ' αὐτὰ ποὺ γεννήθηκαν κι ἀπ' αὐτὰ ποὺ πεθάνανε κάτω ἀπ' τοὺς πόθους. Κέρδισες τὴν ἐμπιστοσύνη τῆς ζωῆς ποὺ δὲ σ' ἐδάμασε καὶ συνεχίζεις τ' ὄνειρο. Τί νὰ ποῦν τὰ πράγματα καὶ ποιά νὰ σὲ περιφρονήσουν!
Ὅταν ἀστράφτεις στὸν ἥλιο ποὺ γλιστράει ἐπάνω σου σταγόνες κι ἀθάνατους γυακίνθους καὶ σιωπές, ἐγὼ σ' ὀνομάζω μόνη πραγματικότητα. Ὅταν γλιτώνεις τὸ σκοτάδι καὶ ξανάρχεσαι μὲ τὴν ἀνατολή, πηγή, μπουμπούκι, ἀχτίδα, ἐγὼ σ' ὀνομάζω μόνη πραγματικότητα. Ὅταν ἀφήνεις αὐτοὺς ποὺ ἀφομοιώνουνται μέσ' στὴν ἀνυπαρξία καὶ ξαναπροσφέρεσαι ἀνθρώπινη, ἐγὼ ἀπὸ τὴν ἀρχὴ ξυπνῶ μέσα στὴν ἀλλαγή σου...

Μὴν παίζεις πιά. Ρίξε τὸν ἄσσο τῆς φωτιᾶς. Ἄνοιξε τὴν ἀνθρώπινη γεωγραφία.

XXI

Ἔχεις μιὰ γῆ θανάσιμη ποὺ τὴ φυλλομετρᾶς ἀδιάκοπα καὶ δὲν κοιμᾶσαι. Τόσους λόφους λές, τόσες θάλασσες, τόσα λουλούδια. Κι ἡ μιὰ καρδιά σου γίνεται πληθυντικὴ ἐξιδανικεύοντας τὴν πεμπτουσία τους. Κι ὅπου κι ἂν προχωρήσεις ἀνοίγεται τὸ διάστημα, κι ὅποια λέξη κι ἂν στείλεις στὸ ἄπειρο μ' ἀγκαλιάζει. Μάντεψε, κοπίασε, νιῶσε:

Ἀπὸ τὴν ἄλλη μεριὰ εἶμαι ὁ ἴδιος.

XVII

You learned nothing from what was born and died under the desires. You won the confidence of a life that didn't tame you and you continue the dream. What can things say, and which ones scorn you!
When you flash in the sun that on you shines liquid and immortal hyacinths and silences, I name you single reality. When you rescue the dark and return with dawn, spring, bud, ray, I name you single reality. When you leave those who assimilate non-existence and offer yourself human, I wake from the beginning in your change...

Play no more. Throw the ace of fire. Open the human geography.

XXI

You have a mortal earth whose leaves you count endlessly and do not sleep. So many hills, you say, so many seas, such flowers. And your one heart becomes plural idealizing their fifth essence. And wherever you go space opens and what word you send out to infinity embraces me. Guess, work, feel:

From the other side I am the same.

ΠΕΡΙΦΗΜΗ ΝΥΧΤΑ...

... Στὴ βραγιά, κοντὰ στὸ μουσικὸ παράπονο τῆς καμπύλης τοῦ χεριοῦ σου. Κοντὰ στὰ διάφανα στήθη σου, τὰ ξέσκεπα δάση γεμάτα βιόλες καὶ σπάρτα κι ἀνοιχτὲς παλάμες φεγγαριοῦ, ὣς πέρα στὴ θάλασσα, τὴ θάλασσα ποὺ χαϊδεύεις, τὴ θάλασσα ποὺ μὲ παίρνει καὶ μ᾽ ἀφήνει φεύγοντας σὲ χίλια κοχύλια. Ὁρατὴ καὶ ὡραία γεύομαι τὴν καλὴ στιγμή σου! Λέω πὼς ἐπικοινωνεῖς τόσο καλὰ μὲ τοὺς ἀνθρώπους, ποὺ τοὺς ὀρθώνεις στὸ ἀνάστημα τῆς καρδιᾶς σου γιὰ νὰ μὴν προσκυνήσει πιὰ κανεὶς ὅ,τι τοῦ ἀνήκει, ὅ,τι ἀναδεύεται σὰ δάκρυ στὴ ρίζα κάθε χορταριοῦ στὴν κορυφὴ κάθε φτασμένου κλώνου. Λέω πὼς ἐπικοινωνεῖς τόσο καλὰ μὲ τὴν ἄνοιξη τῶν πραγμάτων ποὺ τὰ δάχτυλά σου ταιριάζουν μὲ τὴ μοίρα τους. Ὁρατὴ καὶ ὡραία στὸ πλάι σου εἶμαι ἀκέραιος! Θέλω δρόμους ἀπέραντους τὴ διασταύρωση τῶν πουλιῶν καὶ τῶν σωστῶν ἀνθρώπων, τὴ σύναξη τῶν ἄστρων ποὺ θὰ συμβασιλέψουν. Καὶ θέλω νὰ πιάσω κάτι, ἀκόμη καὶ τὴν πιὸ μικρὴ πυγολαμπίδα σου ποὺ πηδάει ἀνύποπτη μέσ᾽ στὴν προβιὰ τῶν κάμπων, γιὰ νὰ γράψω μὲ σίγουρη φωτιὰ πὼς δὲν εἶναι τίποτε τὸ περαστικὸ στὸν κόσμο ἀπὸ τὴ στιγμὴν ἐκείνη ποὺ διαλέξαμε, τὴ στιγμὴ τούτη ποὺ θέλουμε νὰ ὑπάρχει πέρα καὶ πάνω ἀπὸ τὴν πάνχρυση ἐναντιότητα, πέρα καὶ πάνω ἀπὸ τὴ συμφορὰ τῆς πάχνης τοῦ θανάτου, στὴ φορὰ κάθε ἀνέμου ποὺ μὲ ἀγάπη σημαδεύει τὴν καρδιά μας, στὸ ὑπέροχο μυρμήδισμα τ᾽ οὐρανοῦ ποὺ νυχτόημερα πλάθεται ἀπ᾽ τὴν καλοσύνη τῶν ἄστρων.

FAMOUS NIGHT

. . . by the terraces, near the musical complaint of your hand's curve. Near your transparent breasts, the uncovered forests full of violets and vegetables and open palms of moon, far as the sea, the sea you caress, the sea that takes and leaves me leaving in a thousand shells.
Visible and beautiful I taste your good moment! I say that you communicate so well with people you raise them to the dimension of your heart so none again can worship what belongs to him, what stirs like a tear at the root of every grass, the crown of each reached branch. I say that you communicate so well with the spring of things that your fingers match their fate. Visible and beautiful by your side I am whole! I want boundless paths at the crossroads of birds and of fair people, the gathering of stars that will co-rule. And I want to touch something, even your smallest firefly unsuspiciously jumping in the field's mane, so I can write with certain fire that nothing is transient in the world since the moment we chose, this moment we want over and above the all-gold contrariety, over and above the calamity of death's frost, in the path of each wind with love sighting our heart, in the superb gooseflesh of the sky that day and night is kneaded by the goodness of stars.

ΩΔΗ ΣΤΟΝ ΠΙΚΑΣΣΟ

I

Ὅπως ὅταν
βάζουν φωτιὰ σ᾽ ἕνα φυτίλι τρίχινο
Τρέχοντας ὕστερα μακριὰ οἱ ἄνθρωποι τῶν λατομείων
Καὶ κάνουνε σινιάλα σὰν τρελοὶ
Καὶ μιὰ ριπὴ τοῦ ἀνέμου ἄξαφνη σέρνει στὶς ρεματιὲς τὰ ψάθινα καπέλα τους
Ὅπως ὅταν
ἕνα βιολὶ ὁλομόναχο παραμιλάει στὰ σκοτεινὰ
Μελαγχολικὰ ἡ καρδιὰ τοῦ ἐρωτευμένου ἀνοίγει τὴν Ἀσία της
Οἱ παπαροῦνες μέσ᾽ στὴ λάμψη τῆς χειροβομβίδας
Καὶ τὰ πέτρινα χέρια μέσ᾽ στὶς ἐρημιὲς ποὺ ἀσάλευτα καὶ τρομερὰ δείχνουν κατὰ τὴν ἴδια θέση πάντα
Φωνάζουν
Σημαίνουν
Ἡ ζωὴ δὲν εἶναι ἐρημητήριο
Ἡ ζωὴ δὲν ἀντέχει στὴ σιωπὴ
Μὲ θερμοπίδακες καὶ μὲ χιονοστιβάδες πάει ψηλὰ ἢ κυλιέται χαμηλὰ καὶ ψιθυρίζει λόγια ἀγάπης
Λόγια ποὺ ὅ,τι κι ἂν ποῦν δὲ λὲν ποτέ τους ψέματα
Λόγια ποὺ ξεκινοῦν πουλιὰ καὶ φτάνουν «πῦρ αἰθόμενον»
Γιατὶ δὲν ἔχει δυὸ στοιχεῖα ὁ κόσμος — δὲ μοιράζεται
Παῦλε Πικασσὸ — κι ἡ χαρὰ μὲ τὴ λύπη στὸ μέτωπο τοῦ ἀνθρώπου μοιάζουν
Juego de luna y arena — σμίγουν ἐκεῖ ποὺ ὁ ὕπνος
Ἀφήνει νὰ μιλοῦν τὰ σώματα — ἐκεῖ ποὺ ζωγραφίζεις
Τὸν Θάνατο ἢ τὸν Ἔρωτα
Ἴδια γυμνοὺς καὶ ἀνυπεράσπιστους κάτω ἀπ᾽ τὰ τρομερὰ ρουθούνια τοῦ Βοριᾶ
Γιατὶ ἔ τ σ ι μ ό ν ο ὑπάρχεις.

Ἀλήθεια Πικασσὸ Παῦλε ὑπάρχεις
Καὶ μαζὶ μὲ σένα ἐμεῖς ὑπάρχουμε
Ὁλοένα χτίζουν μαῦρες πέτρες γύρω μας — ἀλλὰ σὺ γελᾶς
Μαῦρα τείχη γύρω μας — ἀλλὰ σὺ μεμιᾶς
Ἀνοίγεις πάνω τους μυριάδες πόρτες καὶ παράθυρα
νὰ ξεχυθεῖ στὸν ἥλιο κείνη ἂχ ἡ πυρόξανθη κραυγὴ

ODE TO PICASSO

I

As when
having set fire to a fuse of hemp
The quarrymen run away
Signaling like crazy
And a volley of wind suddenly down the ravine
drags their straw hats
As when
a violin all alone raves in the dark
And the lover's melancholy heart spreads its Asia
The poppies in the grenade's flash
The stone hands immobile in the desert and terrible
pointing always the same way
Calling
Meaning
Life's no hermitage
Life can't bear silence
With hot springs and avalanches it rises or rolls
murmuring lovewords
Words that whatever they say never lie
Words that begin as birds and arrive 'flaming ethyl'
Because the world doesn't have two elements – is not
divisible
Pablo Picasso – and joy as grief on a human brow
Juego de luna y arena – meet where sleep
Lets bodies speak – where you draw
Death or Love
Nude and defenseless alike under the North's terrible nostrils
As ONLY THEN YOU EXIST

Truly Picasso Pablo you exist
And with you we exist
Ceaselessly they build black stones around us but you laugh
Black walls around us – but you at once
Open on them a myriad doors and windows
To spill in the sun that oh! fireblond scream

Πού μ' έρωτα παράφορο μεγαλύνει καί διαλαλεί τ' άέρια τά
υγρά καί τά στερεά τοϋ κόσμου έτούτου
Έτσι πού νά μή μάχεται πιά κανένα τό άλλο
Έτσι πού νά μή μάχεται πιά κανείς τόν άλλον
Νά μήν υπάρχει έχτρός
Πλάι-πλάι νά βαδίζουνε τό άρνί μέ τό λεοντάρι
Κι ή ζωή άδερφέ μου ώσάν τόν Γουαδαλκιβίρ τών άστρων
Νά κατρακυλάει μέ καθαρό νερό καί μέ χρυσάφι
Χιλιάδες λεύγες μέσ' στά όνειρά της
Χιλιάδες λεύγες μέσ' στά όνειρά μας...

II

Έτσι μπαίνει τό μαχαίρι στή σάρκα — κι ή άχνα τοϋ ζεστοϋ
ψωμιοϋ έτσι άνεβαίνει. 'Αλλά
Τό τρίξιμο τής άψηλής όξιάς
Στά βουνά πού ό κεραυνός σεβάστηκε — άλλά καί
Τά πλήθη στίς πλατείες πού τρικυμίζουν μέ μαντίλια κόκκινα
Πρωτομαγιά —
Τά μεγάλα μαϋρα μάτια σου ζεστοβολοϋν τόν κόσμο
Μέσα τους λιάζεται ή Μεσόγειος καί τεντώνουν τόν τραχύ
λαιμό τους οί αίγαγροι τών βράχων
'Αγερομπασιά —
Τά πλατιά μαλλιαρά στήθη σου σά θειαφισμένο άμπέλι
Καί τό δεξί τό χέρι σου έντομο μυθικό
Πάει κι έρχεται στ' άσπρα χαρτιά στό φώς καί στό σκοτάδι
Πάει κι έρχεται βουίζοντας
Καί ξεσηκώνει χρώματα καί σχήματα
Όχι μόνο άπ' αυτά πού βάζουν οί νοικοκυρές τό μέγα Σάββατο
στά ράφια τους
Θύμησες φεγγαριοϋ τών άρρεβωνιασμένων
Όλο πούλιες χρυσές καί ρόμβους ρόδινους
'Αλλά κι άπ' τ' άλλα πού μπορεί νά δεί κανείς όταν τόν πιάνει
ένα βαθύ μεράκι
Μέσα στά καροτσάκια τών παιδιών
Μέσα στίς σοϋστες τίς διπλές τών ντελμπεντέρηδων
Μέσα στ' αυγά τής χελώνας
Μέσα στίς όχεντρες πού δέρνονται μέ τή φωτιά

Enlarging and proclaiming passionately in love
the gasses liquids solids of this earth
So that nothing battles another
No one battles another
No enemy exists
And side by side the lamb walks with the lion
And life like a Guadalkivir of stars my brother
Tumbles down clear water and gold
A thousand leagues into its dreams
A thousand leagues into our dreams.

II

So the knife enters flesh – and the breath
of warm bread so rises. Also
The tall oak's creaking
On mountains thunder respects – and also
The multitudes on the piazza storming with red
bandanas the first of May –
Your large black eyes heatwave the world
The Mediterranean suns itself in them and the wild
boulder goats crane their rough necks
Windfall –
Your broad hairy breasts a sulfured vineyard
A mythic insect your right hand
Coming and going on white papers in shadow and light
Comes and goes buzzing
Rouses colors and shapes
Not only what the housewives put up on shelves
for the great Sabbath
Honeymoon memories
All golden sequins and rosy rhombs
But also those others one can see when taken
by a deep duende
In children's prams
In the horse-carriages' double springs
In turtles' eggs
In vipers thrashing on fire

Ἢ ἀκόμα μέσ' στὰ δάση τῶν Ἠπείρων τ' ἀπέραντα
— Πέφτοντας ἡ νύχτα —
Ὅταν οἱ μαῦροι σταυροπόδι γύρω ἀπ' τὴ φωτιὰ ψάλλουν ὅλοι μαζὶ τὸ «ἀλληλούια» μὲ τὶς φυσαρμόνικες...
Τ' εἶναι αὐτὸ λοιπὸν ποὺ δὲν καίγεται — τ' εἶναι αὐτὸ ποὺ ἀντέχει
Στὰ μεγάλα ὑψίπεδα τοῦ Ἔρωτα στὰ χαμένα μνημεῖα τῶν Ἀζτέκων
Στὸ λειψὸ φεγγάρι στὸν γεμάτο ἀκανθοφόρο ἥλιο — τ' εἶναι αὐτὸ ποὺ δὲ λέγεται
Ὅμως κάποτε σὲ στιγμὲς περίσσειας θεϊκῆς φανερώνεται
Πικασσό: μὲ τὸ θάμπος ποὺ ξεχύνει ὁ Γαλαξίας στὸ ἄπειρο
Πικασσό: μὲ τὸ πεῖσμα ποὺ γυρνάει κατὰ τὸν Βορρᾶ ἡ μαγνητικὴ βελόνα
Πικασσό: καθὼς καίει ὁ χάλυβας μέσ' στὰ χυτήρια
Πικασσό: καθὼς χάνεται στὰ βάθη ἕνα θωρηκτὸ ἀνοικτῆς θαλάσσης
Πικασσό: μέσ' στὸ ἀσύμμετρο τῆς ὑπερρεαλιστικῆς χλωρίδας
Πικασσό: μέσ' στὸ εὐσύνοπτο τῆς χιλιομετρικῆς πανίδας
Πικασσό: Παλόμα
Πικασσό: Ἱπποκένταυρε
Πικασσό: Guernica.

III

Νικᾶ ἡ περήφανη καρδιὰ τὰ μαῦρα σκότη — καὶ τὸν γόρδιο κόβει δεσμὸ τῶν πραγμάτων καθὼς ξίφος ἡ περήφανη καρδιὰ
Εἶναι σπουδαῖο πράγμα ὁ ἄνθρωπος μόνο νὰ τὸ σκέφτεσαι
Τὰ στάχυα ὅταν λυγίζουνε τὸν οὐρανὸ
Εἶναι ἡ κοπέλα ποὺ κοιτάει μέσα στὰ μάτια τὸν ἀγαπημένο της
Εἶναι ἡ γλυκιὰ κοπέλα ποὺ λέει «σ' ἀγαπῶ»
Τὴν ὥρα ποὺ οἱ μεγάλες πολιτεῖες
Γυρίζοντας ἀργὰ πάνω στὸν ἄξονά τους
Δείχνουν τετράγωνα παράθυρα κακοφωτισμένα
Λείψανα παλιῶν ἀνθρώπων μὲ τριγωνικὰ κεφάλια ποὺ στριφογυρίζουν τό 'να μάτι τους
Κλίμακες μέσ' στὶς κλίμακες διαδρόμους μέσ' στοὺς διαδρόμους

Or in the continents' infinite forests still
—Night falling—
When crosslegged round the fire Negroes chant
all at once 'halleluja' with mouth harps
What doesn't burn then—what endures
On life's large plateaus on lost Aztec memorials
On the waning moon the full acanthine sun—
what's unspeakable
And yet in moments of superabundant godliness revealed
Picasso: stubborn as the magnetic needle's North turn
Picasso: steel burns in foundries
Picasso: an armored warship disappears in the deep
Picasso: disproportion of surrealistic flora
Picasso: good summary of a kilometer-long sail
Picasso: Paloma
Picasso: Centaur
Picasso: Guernica

III

A proud heart vanquishes black darkness—and
cuts the gordian bond of things a rapier
the proud heart
A fabulous thing humankind if you but think
They hay bending the sky
Is the girl looking her lover in the eye
Is the young girl's 'I love you'
At the hour when large cities
Turning slowly on their axle
Show square windows ill-lit
Remains of oldtimers with triangular heads
rotating their one eye
Stairs on stairs corridors on corridors

ΚΙΝΔΥΝΟΣ
ΑΔΙΕΞΟΔΟΝ
ΑΠΑΓΟΡΕΥΕΤΑΙ
Ὁ μισὸς ἀλογάνθρωπος ὁ ἀπαγωγέας καλπάζει — κι ἡ γυναίκα
με τὴ γιγαντιαία πατούσα
Στὸν ἀέρα τεντώνει τὰ ὁριζόντια μπράτσα της
Ἔτη μετὰ Χριστὸν πικρὰ
Παρὰ λίγη καρδιὰ θά 'ταν ὁ κόσμος ἄλλος
Θά 'τανε ἄλλη τοῦ κόσμου ἡ ἐκκλησιὰ
Ὅμως νά! ὁ καλὸς Σαμαρείτης κλαίει λησμονημένος καὶ στὰ
πόδια του δένει ρίζα παμπάλαιη δρακοντιὰ

Τὴν ὥρα ποὺ ἐσὺ θηρίο
Ἐσὺ Παῦλε Πικασσὸ
Πικασσὸ Παῦλε ποὺ μέσ' στ' ἀμάραντα μάτια σου
Χώρεσες ὅσα δὲ μπόρεσε νὰ χωρέσει ὁ Θεὸς μέσα σ' ἑκατομ-
μύρια στρέμματα φυτεμένης γῆς
Δουλεύεις τὸ πινέλο σου σὰ νὰ τραγουδᾶς
Σὰ νὰ χαϊδεύεις λύκους ἢ σὰ νὰ καταπίνεις πυρκαγιὲς
Σὰ νὰ πλαγιάζεις νύχτα-μέρα μὲ μιὰ γυναίκα νυμφομανῆ
Σὰ νὰ πετᾶς πορτοκαλόφλουδες στὴ μέση ἑνὸς γλεντιοῦ
Ἐνῶ ἐσὺ θυελλοχαϊδεμένε
Πικασσὸ Παῦλε ἁρπάζεις τὸν Θάνατο ἀπὸ τοὺς καρποὺς τῶν
χεριῶν
Καὶ τὸν παλεύεις ὡσὰν ὡραῖο κι εὐγενικὸ Μινώταυρο
Ποὺ ὅσο χάνει ἐκεῖνος τὸ αἷμα του τόσον ἐσὺ ἀντρειεύεσαι
Παίρνεις περνᾶς ἀφήνεις ξαναπιάνεις
Λουλούδια ζῶα φιλιὰ εὐωδιὲς κοπριὲς κοτρόνια καὶ διαμάντια
Γιὰ νὰ τὰ ἐξισώσεις ὅλα μέσα στὸ ἄπειρο καθὼς ἡ ἴδια ἡ κίνη-
ση τῆς γῆς ποὺ μᾶς ἔφερε καὶ ποὺ θὰ μᾶς πάρει
Καὶ ζωγραφίζεις γιὰ σένα καὶ γιὰ μένα
Καὶ ζωγραφίζεις γιὰ ὅλους τοὺς συντρόφους μου
Καὶ ζωγραφίζεις γιὰ ὅλα τὰ χρόνια ποὺ πέρασαν ποὺ περνοῦν
καὶ ποὺ θὰ περάσουν.

DANGER
NO EXIT
DISALLOWED
Half horseman the kidnapper gallops — and the
giant-soled woman stretches
In the air her horizontal arms
Bitter years past Christ
But for a little heart the world would be different
Different the chapel of the earth
But there! the good Samaritan weeps forgotten
tying an ancient dragon root at his feet

At the hour when you beast
You Pablo Picasso
Picasso Pablo fit in your wiltless eye
What God can't in a million planted acres
You work your brush like singing
Like caressing wolves or swallowing conflagrations
Like night and day with a nymphomaniac
Like throwing orange peels in the middle of a feast
While you
Stormkissed Pablo Picasso seize
Death by the wrists
And wrestle him a beautiful wellborn Minotaur
What he spills in blood you draw in courage
You take pass leave take up again
Flowers animals embraces aromas dungs boulders diamonds
To equalize them in infinity the same
motion of earth that brought and takes us
You draw for you and me
You draw for all my comrades
You draw for all the years that passed and pass
and will pass still.

Ο ΑΓΡΑΜΜΑΤΟΣ ΚΑΙ Η ΩΡΑΙΑ

Συχνά, στὴν Κοίμηση τοῦ Δειλινοῦ, ἡ ψυχή της ἔπαιρνε ἀντίκρυ ἀπ' τὰ βουνὰ μιὰν ἀλαφράδα, μ' ὅλο ποὺ ἡ μέρα ἦταν σκληρὴ καὶ ἡ αὔριο ἄγνωστη.

Ὅμως, ὅταν σκοτείνιαζε καλὰ κι ἔβγαινε τοῦ παπᾶ τὸ χέρι πάνω ἀπὸ τὸ κηπάκι τῶν νεκρῶν, Ἐκείνη

Μόνη της, Ὄρθια, μὲ τὰ λιγοστὰ τῆς νύχτας κατοικίδια — τὸ φύσημα τῆς δεντρολιβανιᾶς καὶ τὴν ἀθάλη τοῦ καπνοῦ ἀπὸ τὰ καμίνια — στῆς θαλάσσης τὴν ἔμπαση ἀγρυπνοῦσε

Ἀλλοιῶς ὡραία!

Λόγια μόλις τῶν κυμάτων ἢ μισομαντεμένα σ' ἕνα θρόισμα, κι ἄλλα ποὺ μοιάζουν τῶν ἀποθαμένων κι ἀλαφιάζονται μέσα στὰ κυπαρίσσια, σὰν παράξενα ζώδια, τὴ μαγνητικὴ δορυφορώντας κεφαλή της ἄναβαν. Καὶ μία

Καθαρότη ἀπίστευτη ἄφηνε, σὲ μέγα βάθος μέσα της, τὸ ἀληθινὸ τοπίο νὰ φανεῖ,

Ὅπου, σιμὰ στὸν ποταμό, παλεύανε τὸν Ἄγγελο οἱ μαῦροι ἄνθρῶποι, δείχνοντας μὲ ποιόν τρόπο γεννιέται ἡ ὀμορφιὰ

Ἢ αὐτὸ ποὺ ἐμεῖς, ἀλλιῶς, τὸ λέμε δάκρυ.

Κι ὅσο βαστοῦσε ὁ λογισμός της, ἔνιωθες, ἐξεχείλιζε τὴν ὄψη ποὺ ἔλαμπε μὲ τὴν πίκρα στὰ μάτια καὶ μὲ τὰ πελώρια, σὰν παλιᾶς Ἱεροδούλου, ζυγωματικά,

Τεντωμένα στ' ἀκρότατα σημεῖα τοῦ Μεγάλου Κυνὸς καὶ τῆς Παρθένου.

BEAUTY AND THE ILLITERATE

Often, in the Repose of Evening her soul took a lightness from the mountains across, although the day was harsh and tomorrow foreign.

But, when it darkened well and out came the priest's hand over the little garden of the dead, She

Alone, Standing, with the few domestics of the night – the blowing rosemary and the murmur of smoke from the kilns – at sea's entry, wakeful

Otherly beauty!

Only the waves' words half-guessed or in a rustle, and others resembling the dead's that startle in the cypress, strange zodiacs that lit up her magnetic moon-turned head. And one

Unbelievable cleanliness allowed, to great depth in her, the real landscape to be seen,

Where, near the river, the dark ones fought against the Angel, exactly showing how she's born, Beauty

Or what we otherwise call tear.

And long as her thinking lasted, you could feel it overflow the glowing sight bitterly in the eyes and the huge, like an ancient prostitute's, cheekbones

Stretched to the extreme points of the Large Dog and of the Virgin.

«Μακριὰ ἀπ' τὴ λοιμικὴ τῆς πολιτείας, ὀνειρεύτηκα στὸ πλάι της μιὰν ἐρημιά, ὅπου τὸ δάκρυ νὰ μὴν ἔχει νόημα, κι ὅπου τὸ μόνο φῶς νά 'ναι ἀπὸ τὴν πυρὰ ποὺ κατατρώγει ὅλα μου τὰ ὑπάρχοντα.

»Ὦμο τὸν ὦμο οἱ δυὸ μαζὶ ν' ἀντέχουμε τὸ βάρος ἀπὸ τὰ μελλούμενα, ὁρκισμένοι στὴν ἄκρα σιγαλιὰ καὶ στὴ συμβασιλεία τῶν ἄστρων,

»Σὰ νὰ μὴν κάτεχα, ὁ ἀγράμματος, πὼς εἶναι κεῖ ἀκριβῶς, μέσα στὴν ἄκρα σιγαλιά, ποὺ ἀκούγονται οἱ πιὸ ἀποτρόπαιοι κρότοι

»Καὶ πώς, ἀφ' ὅτου ἀβάσταχτη ἔγινε στοῦ ἀντρὸς τὰ στέρνα ἡ μοναξιά, σκόρπισε κι ἔσπειρε ἄστρα!»

"Far from the pestilential city I dreamed of her deserted place
where a tear may have no meaning and the only light be
from the flame that ravishes all that for me exists.

"Shoulder to shoulder under what will be, sworn to extreme
silence and the co-ruling of the stars,

"As if I didn't know yet, the illiterate, that there exactly, in
extreme silence are the most repellent thuds

"And that, since it became unbearable inside a man's chest
solitude dispersed and seeded stars!"

Η ΚΟΡΗ ΠΟΥ 'ΦΕΡΝΕ Ο ΒΟΡΙΑΣ

Σὲ μεγάλη ἀπόσταση μέσα στὴν εὐωδιὰ τοῦ δυόσμου ἀναλογίστηκα ποῦ πάω κι εἶπα γιὰ νὰ μὴ μ᾿ ἔχει τοῦ χεριοῦ της ἡ ἐρημιὰ νὰ βρῶ ἐκκλησάκι νά 'χω νὰ μιλήσω.

Ἡ βοὴ ἀπ᾿ τὸ πέλαγος μοῦ 'τρωγε σὰν τὴν αἶγα μαῦρο σωθικὸ καὶ μοῦ ἄφηνε ἄνοιγμα ὁλοένα πιὸ καλεστικὸ στὶς Εὐτυχίες
Ὅμως τίποτα κανείς

Μόνο πύρωνε τριγύρω τῆς ἀγριελιᾶς ἡ μαντοσύνη

Κι ὅλη στὸ μάκρος τῆς ἀφρόσκονης ἕως ψηλὰ πάνω ἀπὸ τὸ κεφάλι μου ἡ πλαγιὰ χρησμολογοῦσε καὶ σισύριζε μὲ τρεμίσματα μὼβ μυριάδες καὶ χερουβικὰ ἐντομάκια Ναὶ ναὶ συμφωνοῦσα οἱ θάλασσες αὐτὲς θὰ ἐκδικηθοῦνε Μιὰ μέρα οἱ θάλασσες αὐτὲς θὰ ἐκδικηθοῦνε

Ὅπου ἀπάνου κεῖ ἀπὸ τὸν ἐρειπιώνα της ἀποσπασμένη φάνηκε νὰ κερδίζει σὲ ὕψος κι ὄμορφη ποὺ δὲ γίνεται ἄλλο μ᾿ ὅλα τὰ χούγια τῶν πουλιῶν στὸ σείσιμό της ἡ κόρη πού 'φερνε ὁ βοριὰς κι ἐγὼ περίμενα

Κάθε ὀργιὰ πιὸ μπρὸς μὲ τὸ ποὺ ἀπίθωνε στηθάκι νὰ τοῦ ἀντισταθεῖ ὁ ἀέρας κι ἀπὸ μιὰ τρομοκρατημένη μέσα μου χαρὰ ποὺ ἀνέβαινε ὣς τὸ βλέφαρο νὰ πεταρίσει

Ἄι θυμοὶ κι ἄι τρέλες τῆς πατρίδας!

Σποῦσαν πίσω της ἀφάνες φῶς κι ἄφηναν μέσ᾿ στὸν οὐρανὸ κάτι σὰν ἄπιαστα τοῦ Παραδείσου σήματα

Πρόκανα μιὰ στιγμὴ νὰ δῶ μεγαλωμένη τὴ διχάλα τῶν ποδιῶν κι ὅλο τὸ μέσα μέρος μὲ τὸ λίγο ἀκόμη σάλιο τῆς θαλάσσης Ὕστερα μοῦ 'ρθε ἡ μυρωδιά της ὅλο φρέσκο ψωμὶ κι ἄγρια βουνίσια γιάμπολη

Ἔσπρωξα τὴ μικρὴ ξύλινη πόρτα καὶ ἄναψα κερὶ Ποὺ μιὰ ἰδέα μου εἶχε γίνει ἀθάνατη.

DAUGHTER THE NORTH WIND WAS BRINGING

Far inside the smell of doublemint I reconsidered where I was going   and I said   so as not to be at the mercy of the wild find a small church to have a talk.

The lowing of the pelago ate like a she-goat my black gut and left an opening increasingly calling to the joys   But nothing no one

Just fiery all around the intuition of wild olive

And the entire   the length of the foamdust   high over my head hillside   prophesied and murmured   with a myriad purple tremors and cherubic insects   Yes yes I agreed   these seas will take revenge   ONE DAY THESE SEAS WILL TAKE REVENGE.

Until   up there   detached from her ruins   she appeared gaining in height   and beautiful beyond addition   with all the birds' habits in her sway   daughter the north wind was bringing and I waiting

Each fathom forward   as she flung a small breast to resist the wind   and from inside me a terrified happiness raising its wing to my lids

Ai! tempers and madness of my land!

Behind her fans of light broke leaving in the sky   something like signs untouched from Paradise

I was able momentarily to see   the fork of legs enlarged   the whole inner part   with the little still saliva of the sea
Then her smell came to me   all fresh bread and wild mallow

I pushed the small wood door and lit a candle
Than an idea of mine had come immortal.

ΜΙΚΡΗ ΠΡΑΣΙΝΗ ΘΑΛΑΣΣΑ

Μικρὴ πράσινη θάλασσα δεκατριῶ χρονῶ
Ποὺ θά 'θελα νὰ σὲ υἱοθετήσω
Νὰ σὲ στείλω σχολεῖο στὴν Ἰωνία
Νά μάθεις μανταρίνι καὶ ἄψινθο
Μικρὴ πράσινη θάλασσα δεκατριῶ χρονῶ
Στὸ πυργάκι τοῦ φάρου τὸ καταμεσήμερο
Νὰ γυρίσεις τὸν ἥλιο καὶ ν' ἀκούσεις
Πῶς ἡ μοίρα ξεγίνεται καὶ πῶς
Ἀπὸ λόφο σὲ λόφο συνεννοοῦνται
Ἀκόμα οἱ μακρινοί μας συγγενεῖς
Ποὺ κρατοῦν τὸν ἀέρα σὰν ἀγάλματα
Μικρὴ πράσινη θάλασσα δεκατριῶ χρονῶ
Μὲ τὸν ἄσπρο γιακὰ καὶ τὴν κορδέλα
Νὰ μπεῖς ἀπ' τὸ παράθυρο στὴ Σμύρνη
Νὰ μοῦ ἀντιγράψεις τὶς ἀντιφεγγιὲς στὴν ὀροφὴ
Ἀπὸ τὰ Κυριελέησον καὶ τὰ Δόξα σοι
Καὶ μὲ λίγο Βοριὰ λίγο Λεβάντε
Κύμα τὸ κύμα νὰ γυρίσεις πίσω
Μικρὴ πράσινη θάλασσα δεκατριῶ χρονῶ
Γιὰ νὰ σὲ κοιμηθῶ παράνομα
Καὶ νὰ βρίσκω βαθιὰ στὴν ἀγκαλιά σου
Κομμάτια πέτρες τὰ λόγια τῶν Θεῶν
Κομμάτια πέτρες τ' ἀποσπάσματα τοῦ Ἡράκλειτου.

SMALL GREEN SEA

Small green sea thirteen years old
I want to adopt you
Send you to school in Ionia
To learn of mandarin and of absinthe
Small green sea thirteen years old
In the tight tower of the lighthouse at noon
Turn to the sun and hear
How fate's undone and how
From hill to hill still
Our distant relations who hold
The wind like statues communicate
Small green sea thirteen years old
With the white collar and the ribbon
Go through Smyrna's window
And copy the light reflected on the ceilings
From the Lordhavemercies and the Glorybe
And with a little north a little levantine
Wave by wave come back
Illegally to me to sleep
To find deep in your keep
Pieces of stone the talk of Gods
Pieces of stone Heracleitos' fragments.

VILLA NATACHA

Ἔχω κάτι νὰ πῶ διάφανο κι ἀκατάληπτο
Σὰν κελαηδητὸ σὲ ὥρα πολέμου.

Ἐδῶ, σὲ μιὰ γωνιὰ ποὺ κάθισα
Νὰ καπνίσω τὸ πρῶτο ἐλεύθερο τσιγάρο μου
Ἀδέξιος μέσ' στὴν εὐτυχία, τρέμοντας
Μήπως σπάσω ἕνα λουλούδι, θίξω κάποιο πουλὶ
Καὶ σὲ δύσκολη θέση, ἐξαιτίας μου, βρεθεῖ ὁ Θεὸς

Κι ὅμως ὅλα μοῦ ὑπακούουν
Καὶ οἱ ὄρθιες καλαμιὲς καὶ τὸ γερτὸ καμπαναριὸ
Καὶ τοῦ κήπου τὸ στερέωμα ὅλο
Ἀντικαθρεφτισμένο μέσ' στὸ νοῦ μου
Ἕνα-ἕνα ὀνόματα ποὺ ἠχοῦν
Παράξενα μέσα στὴν ξένη γλώσσα: Phlox, Aster, Cytise
Eglantine, Pervenche, Colchique
Alise, Frésia, Pivoine, Myoporone
Muguet, Bleuet
Saxifrage
Iris, Clochette, Myosotis
Primevère, Aubépine, Tubereuse
Paquerette, Ancolie, καὶ τὰ σχήματα ὅλα
Καθαρογραμμένα μέσ' στὰ φροῦτα: ὁ κύκλος, τὸ τετράγωνο
Τὸ τρίγωνο καὶ ὁ ρόμβος
Ὅπως τὰ βλέπουν τὰ πουλιά, νὰ γίνει ἁπλὸς ὁ κόσμος
Ἕνα σχέδιο Πικασσὸ
Μὲ γυναίκα, παιδάκι καὶ ἱπποκένταυρο.

Λέω: κι αὐτὸ θά 'ρθεῖ. Καὶ τ' ἄλλο θὰ περάσει.
Πολὺ δὲ θέλει ὁ κόσμος. Ἕνα κάτι
Ἐλάχιστο. Σὰν τὴ στραβοτιμονιὰ πρὶν ἀπὸ τὸ δυστύχημα

VILLA NATACHA

I have something to say transparent incomprehensible
As birdsong in hour of war.

Here, in a corner where I sat
To smoke my first free cigarette
Awkward in happiness, trembling
If I should break a flower, offend some bird
And in a difficult position, in my behalf, God find himself

And yet they all obey me
The straight bamboo and the bowing belfry
And the garden's anchorage complete
Countermirrored in my mind
One by one the names that sound
Strange in the foreign tongue: *Phlox, Aster, Cytise*
Eglantine, Pervenche, Colchique
Alise, Frésia, Pivoine, Myoprone
Muguet, Bleuet
Saxifrage
Iris, Clochette, Myosotis
Primevère, Aubépine, Tubereuse
Paquerette, Ancolie, and the shapes all
clearly written in the fruit: the circle, the square
The triangle and rhombus
As the birds see them, let the world be made simple
A Picasso design
With woman, child and seahorse.

I say: this too will come. Something else pass.
Much is not wanted by the world. One something
Minute. Like the crooked steering before the accident

Ὅμως
Ἀκριβῶς
Πρὸς
Τὴν ἀντίθετη κατεύθυνση

Ἀρκετὰ λατρέψαμε τὸν κίνδυνο κι εἶναι καιρὸς νὰ μᾶς τὸ ἀνταποδώσει.

Ὀνειρεύομαι μιὰν ἐπανάσταση ἀπὸ τὸ μέρος τοῦ κακοῦ καὶ τῶν πολέμων σὰν αὐτὴ ποὺ ἔκανε, ἀπὸ τὸ μέρος τοῦ σκιόφωτος καὶ τῶν ἀποχρώσεων, ὁ Matisse.

But
Exactly
To
The opposite direction

Enough we've worshipped danger and it's the season it
paid us back.

I dream a revolution on the part of evil and of wars like that made on the part of chiaroscuro and color shading, O Matisse.

ΜΟΝΟΓΡΑΜΜΑ

Θὰ πενθῶ πάντα — μ' ἀκοῦς; — γιὰ σένα,
μόνος, στὸν Παράδεισο.

I

Θὰ γυρίσει ἀλλοῦ τὶς χαρακιὲς
Τῆς παλάμης, ἡ Μοίρα, σὰν κλειδοῦχος
Μιὰ στιγμὴ θὰ συγκατατεθεῖ ὁ Καιρὸς

Πῶς ἀλλιῶς, ἀφοῦ ἀγαπιοῦνται οἱ ἄνθρωποι

Θὰ παραστήσει ὁ οὐρανὸς τὰ σωθικά μας
Καὶ θὰ χτυπήσει τὸν κόσμο ἡ ἀθωότητα
Μὲ τὸ δριμὺ τοῦ μαύρου τοῦ θανάτου.

II

Πενθῶ τὸν ἥλιο καὶ πενθῶ τὰ χρόνια ποὺ ἔρχονται
Χωρὶς ἐμᾶς καὶ τραγουδῶ τ' ἄλλα ποὺ πέρασαν
Ἐὰν εἶναι ἀλήθεια

Μιλημένα τὰ σώματα καὶ οἱ βάρκες ποὺ ἔκρουσαν γλυκὰ
Οἱ κιθάρες ποὺ ἀναβόσβησαν κάτω ἀπὸ τὰ νερὰ
Τὰ «πίστεψέ με» καὶ τὰ «μὴ»
Μιὰ στὸν ἀέρα, μιὰ στὴ μουσικὴ

Τὰ δυὸ μικρὰ ζῶα, τὰ χέρια μας
Ποὺ γύρευαν ν' ἀνέβουνε κρυφὰ τὸ ἕνα στὸ ἄλλο
Ἡ γλάστρα μὲ τὸ δροσαχὶ στὶς ἀνοιχτὲς αὐλόπορτες
Καὶ τὰ κομμάτια οἱ θάλασσες ποὺ ἐρχόντουσαν μαζὶ
Πάνω ἀπ' τὶς ξερολιθιές, πίσω ἀπ' τοὺς φράχτες
Τὴν ἀνεμώνα ποὺ κάθισε στὸ χέρι σου
Κι ἔτρεμε τρεῖς φορὲς τὸ μὼβ τρεῖς μέρες πάνω ἀπὸ
τοὺς καταρράχτες

Ἐὰν αὐτὰ εἶναι ἀλήθεια τραγουδῶ
Τὸ ξύλινο δοκάρι καὶ τὸ τετράγωνο φαντὸ

THE MONOGRAM

I'll mourn always—you hear me?—for you
alone, in Paradise.

I

Fate will turn elsewhere the engravings
Of the palm, like a key keeper
Some moment Time will acquiesce

How else, since people love each other

The sky will represent our guts
And innocence will smite the world
With black death's acrid sickle.

II

I mourn the sun and I mourn the years that come
Without us and I sing those others gone
If it's true

That bodies conspired with the boats struck sweetly
The guitars flickering under the waters
The *believe me* and the *don't*
Once in the air, once in the music

The two small animals, our hands
That looked to climb secretly one on the other
The pot of coolweed in the open yards
And the seas in pieces coming together
Over the dryrock, behind the fence
The anemone that sat in your hand
And trembled three times purple three days above the falls

If these are true I sing
The wooden beam and the square weaving

Στὸν τοῖχο, τὴ Γοργόνα μὲ τὰ ξέπλεκα μαλλιὰ
Τὴ γάτα ποὺ μᾶς κοίταξε μέσα στὰ σκοτεινὰ
Παιδὶ μὲ τὸ λιβάνι καὶ μὲ τὸν κόκκινο σταυρὸ
Τὴν ὥρα ποὺ βραδιάζει στῶν βράχων τὸ ἀπλησίαστο
Πενθῶ τὸ ροῦχο ποὺ ἄγγιξα καὶ μοῦ ἦρθε ὁ κόσμος.

III

Ἔτσι μιλῶ γιὰ σένα καὶ γιὰ μένα

Ἐπειδὴ σ' ἀγαπῶ καὶ στὴν ἀγάπη ξέρω
 Νὰ μπαίνω σὰν Πανσέληνος
Ἀπὸ παντοῦ, γιὰ τὸ μικρὸ τὸ πόδι σου μέσ' στ' ἀχανῆ σεντόνια
 Νὰ μαδάω γιασεμιὰ — κι ἔχω τὴ δύναμη
Ἀποκοιμισμένη, νὰ φυσῶ νὰ σὲ πηγαίνω
 Μέσ' ἀπὸ φεγγερὰ περάσματα καὶ κρυφὲς τῆς θάλασσας στοὲς
Ὑπνωτισμένα δέντρα μὲ ἀράχνες ποὺ ἀσημίζουνε

Ἀκουστὰ σ' ἔχουν τὰ κύματα
 Πῶς χαϊδεύεις, πῶς φιλᾶς
 Πῶς λὲς ψιθυριστὰ τὸ «τί» καὶ τὸ «ἔ»
 Τριγύρω στὸ λαιμὸ στὸν ὅρμο
 Πάντα ἐμεῖς τὸ φῶς κι ἡ σκιὰ

 Πάντα ἐσὺ τ' ἀστεράκι καὶ πάντα ἐγὼ τὸ σκοτεινὸ πλεούμενο
 Πάντα ἐσὺ τὸ λιμάνι κι ἐγὼ τὸ φανάρι τὸ δεξιὰ
 Τὸ βρεμένο μουράγιο καὶ ἡ λάμψη ἐπάνω στὰ κουπιὰ
 Ψηλὰ στὸ σπίτι μὲ τὶς κληματίδες
 Τὰ δετὰ τριαντάφυλλα, τὸ νερὸ ποὺ κρυώνει
 Πάντα ἐσὺ τὸ πέτρινο ἄγαλμα καὶ πάντα ἐγὼ ἡ σκιὰ ποὺ μεγα-
  λώνει
 Τὸ γερτὸ παντζούρι ἐσύ, ὁ ἀέρας ποὺ τὸ ἀνοίγει ἐγὼ
Ἐπειδὴ σ' ἀγαπῶ καὶ σ' ἀγαπῶ
 Πάντα ἐσὺ τὸ νόμισμα κι ἐγὼ ἡ λατρεία ποὺ τὸ ἐξαργυρώνει:

 Τόσο ἡ νύχτα, τόσο ἡ βοὴ στὸν ἄνεμο
 Τόσο ἡ στάλα στὸν ἀέρα, τόσο ἡ σιγαλιὰ
 Τριγύρω ἡ θάλασσα ἡ δεσποτικὴ

On the wall, the Mermaid with unplaited hair
The cat who saw us in the dark
Child with frankincense and red cross
In the hour of dusk by the unapproachable boulders
I mourn the garment I touched and the world came to me

III

This is how I speak for you and me

Because I love you and in love I know
Like a Full Moon to enter
From everywhere, for your small foot in the vast sheets
I unpetal jasmines – and I have the strength
Asleep, to blow and take you
Through luminous passages and the sea's secret arcades
Hypnotized trees silver with spiders

The waves have heard of you
How you caress, how you kiss
How you whisper *what* and *eh*
Around the neck the bay
Always we the light and shade

Always you little star and always I dark navigable
Always you the port and I the lantern at right
The wet mooring and the oar's shine
High in the house with the grape arbor
The tied roses, the water that cools
Always you the stone statue and always I shade that grows
The pulled shutter you, the wind that opens it I
Because I love you and I love you
Always you the coin and I the worship that cashes it:

So much the night, so much the howl in the wind
So much the dew in the air, so much for silence
Around us the despotic sea

Καμάρα τ' οὐρανοῦ μὲ τ' ἄστρα
Τόσο ἡ ἐλάχιστή σου ἀναπνοὴ

Ποὺ πιὰ δὲν ἔχω τίποτε ἄλλο
Μέσ' στοὺς τέσσερεις τοίχους, τὸ ταβάνι, τὸ πάτωμα
Νὰ φωνάζω ἀπὸ σένα καὶ νὰ μὲ χτυπᾶ ἡ φωνή μου
Νὰ μυρίζω ἀπὸ σένα καὶ ν' ἀγριεύουν οἱ ἄνθρωποι
'Επειδὴ τὸ ἀδοκίμαστο καὶ τὸ ἀπ' ἀλλοῦ φερμένο
Δὲν τ' ἀντέχουν οἱ ἄνθρωποι κι εἶναι νωρίς, μ' ἀκοῦς
Εἶναι νωρὶς ἀκόμη μέσ' στὸν κόσμο αὐτὸν ἀγάπη μου

Νὰ μιλῶ γιὰ σένα καὶ γιὰ μένα.

IV

Εἶναι νωρὶς ἀκόμη μέσ' στὸν κόσμο αὐτόν, μ' ἀκοῦς
Δὲν ἔχουν ἐξημερωθεῖ τὰ τέρατα, μ' ἀκοῦς
Τὸ χαμένο μου αἷμα καὶ τὸ μυτερό, μ' ἀκοῦς
Μαχαίρι
Σὰν κριάρι ποὺ τρέχει μέσ' στοὺς οὐρανοὺς
Καὶ τῶν ἄστρων τοὺς κλώνους τσακίζει, μ' ἀκοῦς
Εἶμ' ἐγώ, μ' ἀκοῦς
Σ' ἀγαπῶ, μ' ἀκοῦς
Σὲ κρατῶ καὶ σὲ πάω καὶ σοῦ φορῶ
Τὸ λευκὸ νυφικὸ τῆς 'Οφηλίας, μ' ἀκοῦς
Ποῦ μ' ἀφήνεις, ποῦ πᾶς καὶ ποιός, μ' ἀκοῦς

Σοῦ κρατεῖ τὸ χέρι πάνω ἀπ' τοὺς κατακλυσμοὺς

Οἱ πελώριες λιάνες καὶ τῶν ἡφαιστείων οἱ λάβες
Θά 'ρθει μέρα, μ' ἀκοῦς
Νὰ μᾶς θάψουν κι οἱ χιλιάδες ὕστερα χρόνοι ,μ' ἀκοῦς
Λαμπερὰ θὰ μᾶς κάνουν πετρώματα, μ' ἀκοῦς
Νὰ γυαλίσει ἐπάνω τους ἡ ἀπονιά, μ' ἀκοῦς
Τῶν ἀνθρώπων
Καὶ χιλιάδες κομμάτια νὰ μᾶς ρίξει, μ' ἀκοῦς
Στὰ νερὰ ἕνα-ἕνα, μ' ἀκοῦς
Τὰ πικρά μου βότσαλα μετρῶ, μ' ἀκοῦς
Κι εἶναι ὁ χρόνος μιὰ μεγάλη ἐκκλησία, μ' ἀκοῦς

Arc of the sky with stars
So much your least breath

That at last I've nothing left
In the four walls, the ceiling, the floor
To call on but you and my voice beats me
To smell of but you and people go wild
Because the untried and the from elsewhere brought
Is intolerable and it's early, do you hear me
It's early still in this world my love

To speak about you and about me.

IV

It is still early in this world, do you hear me
The beasts have not been tamed, do you hear me
My spilled blood and the pointed, do you hear me
Knife
Like a ram running the skies
Snapping the stars' branches, do you hear me
It's me, do you hear me
I love you, do you hear me
I hold you and take you and dress you
In Ophelia's white bridal, do you hear me
Where do you leave me, where do you go and who, do you hear me

Holds your hands over the floods

The enormous lianas and the volcanos' lavas
One day, do you hear me
Will bury us and the thousand later years, do you hear
Luminous will make of us strata, do you hear me
On which the heartlessness of, do you hear me
People will shine
And throw us a thousand pieces, do you hear
In the water one by one, do you hear
I count my bitter pebbles, do you hear me
And time is a large church, do you hear

Όπου κάποτε οί φιγοῦρες, μ' ἀκοῦς
Τῶν Ἁγίων
Βγάζουν δάκρυ ἀληθινό, μ' ἀκοῦς
Οί καμπάνες ἀνοίγουν ἀψηλά, μ' ἀκοῦς
Ἕνα πέρασμα βαθὺ νὰ περάσω
Περιμένουν οἱ ἄγγελοι μὲ κεριὰ καὶ νεκρώσιμους ψαλμοὺς
Πουθενὰ δὲν πάω, μ' ἀκοῦς
Ἢ κανεὶς ἢ κι οἱ δύο μαζί, μ' ἀκοῦς

Τὸ λουλούδι αὐτὸ τῆς καταιγίδας καί, μ' ἀκοῦς
Τῆς ἀγάπης
Μιὰ γιὰ πάντα τὸ κόψαμε, μ' ἀκοῦς
Καὶ δὲ γίνεται ν' ἀνθίσει ἀλλοιῶς, μ' ἀκοῦς
Σ' ἄλλη γῆ, σ' ἄλλο ἀστέρι, μ' ἀκοῦς
Δὲν ὑπάρχει τὸ χῶμα, δὲν ὑπάρχει ὁ ἀέρας
Ποὺ ἀγγίξαμε, ὁ ἴδιος, μ' ἀκοῦς

Καὶ κανεὶς κηπουρὸς δὲν εὐτύχησε σ' ἄλλους καιροὺς

Ἀπὸ τόσον χειμώνα κι ἀπὸ τόσους βοριάδες, μ' ἀκοῦς
Νὰ τινάξει λουλούδι, μόνο ἐμεῖς, μ' ἀκοῦς
Μέσ' στὴ μέση τῆς θάλασσας
Ἀπὸ μόνο τὸ θέλημα τῆς ἀγάπης, μ' ἀκοῦς
Ἀνεβάσαμε ὁλόκληρο νησί, μ' ἀκοῦς
Μὲ σπηλιὲς καὶ μὲ κάβους κι ἀνθισμένους γκρεμοὺς
Ἄκου, ἄκου
Ποιός μιλεῖ στὰ νερὰ καὶ ποιός κλαίει — ἀκοῦς;
Ποιός γυρεύει τὸν ἄλλο, ποιός φωνάζει — ἀκοῦς;
Εἶμ' ἐγὼ ποὺ φωνάζω κι εἶμ' ἐγὼ ποὺ κλαίω, μ' ἀκοῦς
Σ' ἀγαπῶ, σ' ἀγαπῶ, μ' ἀκοῦς.

V

Γιὰ σένα ἔχω μιλήσει σὲ καιροὺς παλιοὺς
Μὲ σοφὲς παραμάνες καὶ μ' ἀντάρτες ἀπόμαχους
Ἀπὸ τί νά 'ναι ποὺ ἔχεις τὴ θλίψη τοῦ ἀγριμιοῦ
Τὴν ἀνταύγεια στὸ πρόσωπο τοῦ νεροῦ τοῦ τρεμάμενου
Καὶ γιατί, λέει, νὰ μέλλει κοντά σου νά 'ρθῶ
Ποὺ δὲ θέλω ἀγάπη ἀλλὰ θέλω τὸν ἄνεμο
Ἀλλὰ θέλω τῆς ξέσκεπης ὄρθιας θάλασσας τὸν καλπασμὸ

Where sometimes the figures, do you hear me
Of Saints
Emit a real tear, do you hear me
The bells open on high, do you hear me
A passage deep for me to pass
The angels wait with candles and funereal psalms
I am not going anywhere, do you hear me
Either neither or together both, do you hear me

This flower of storm and, do you hear
Of love
We cut once and for all, do you hear me
And it can't flower otherwise, do you hear me
In another earth, another star, do you hear me
The soil is gone, the air is gone
That we touched, that same, do you hear me

And no gardener ever had the luck

From so much winter so much north wind, do you hear me
To pull a flower, only we, do you hear me
In the middle of the sea
From just the wanting of love, do you hear me
Raised a whole island, do you hear
With caves and coves and flowering gullies
Hear, hear
Who speaks to the waters and who cries – hear?
Who looks for the other, who shouts – hear?
It's me who shouts and it's me who cries, do you hear me
I love you, I love you, you hear me.

V

Of you I've spoken long ago
With wise nurses and veteran rebels
What gives you the sorrow of a beast
On your face the trembling water's reflection
And why am I meant to come near you
I who don't want love but want the wind
Want the uncovered standing sea's full gallop

Καὶ γιὰ σένα κανεὶς δὲν εἶχε ἀκούσει
Γιὰ σένα οὔτε τὸ δίκταμο οὔτε τὸ μανιτάρι
Στὰ μέρη τ' ἀψηλὰ τῆς Κρήτης τίποτα
Γιὰ σένα μόνο δέχτηκε ὁ Θεὸς νὰ μοῦ ὁδηγεῖ τὸ χέρι

Πιὸ δῶ, πιὸ κεῖ, προσεχτικὰ σ' ὅλο τὸ γύρο
Τοῦ γιαλοῦ τοῦ προσώπου, τοὺς κόλπους, τὰ μαλλιὰ
Στὸ λόφο κυματίζοντας ἀριστερὰ

Τὸ σῶμα σου στὴ στάση τοῦ πεύκου τοῦ μοναχικοῦ
Μάτια τῆς περηφάνειας καὶ τοῦ διάφανου
Βυθοῦ, μέσα στὸ σπίτι μὲ τὸ σκρίνιο τὸ παλιὸ
Τὶς κίτρινες νταντέλες καὶ τὸ κυπαρισσόξυλο
Μόνος νὰ περιμένω ποῦ θὰ πρωτοφανεῖς
Ψηλὰ στὸ δῶμα ἢ πίσω στὶς πλάκες τῆς αὐλῆς
Μὲ τ' ἄλογο τοῦ Ἁγίου καὶ τὸ αὐγὸ τῆς Ἀνάστασης

Σὰν ἀπὸ μιὰ τοιχογραφία καταστραμμένη
Μεγάλη ὅσο σὲ θέλησε ἡ μικρὴ ζωὴ
Νὰ χωρᾶς στὸ κεράκι τὴ στεντόρεια λάμψη τὴν ἡφαιστειακὴ

Ποὺ κανεὶς νὰ μὴν ἔχει δεῖ καὶ ἀκούσει
Τίποτα μέσ' στὶς ἐρημιὲς τὰ ἐρειπωμένα σπίτια
Οὔτε ὁ θαμμένος πρόγονος ἄκρη-ἄκρη στὸν αὐλόγυρο
Γιὰ σένα, οὔτε ἡ γερόντισσα μ' ὅλα της τὰ βοτάνια

Γιὰ σένα μόνο ἐγώ, μπορεῖ, καὶ ἡ μουσικὴ
Ποὺ διώχνω μέσα μου ἀλλ' αὐτὴ γυρίζει δυνατότερη
Γιὰ σένα τὸ ἀσχημάτιστο στῆθος τῶν δώδεκα χρονῶ
Τὸ στραμμένο στὸ μέλλον μὲ τὸν κρατήρα κόκκινο
Γιὰ σένα σὰν καρφίτσα ἡ μυρωδιὰ ἡ πικρὴ
Ποὺ βρίσκει μέσ' στὸ σῶμα καὶ ποὺ τρυπάει τὴ θύμηση
Καὶ νά τὸ χῶμα, νά τὰ περιστέρια, νά ἡ ἀρχαία μας γῆ.

VI

Ἔχω δεῖ πολλὰ καὶ ἡ γῆ μέσ' ἀπὸ τὸ νοῦ μου φαίνεται ὡραιότερη
Ὡραιότερη μέσ' στοὺς χρυσοὺς ἀτμοὺς
Ἡ πέτρα ἡ κοφτερή, ὡραιότερα

And none had heard of you
Not the doubleroot and not the mushroom
In Crete's high places nothing
Of you but God accepted to guide my hand

A little here, a little there, carefully the whole circle
Of the beach, the face, the bay, the hair
Of the hill waving toward the left

Your body in the stance of the solitary plane tree
Eyes of pride and the transparent
Seafloor, in the house with the old screen
The yellow lace and cypresswood
I wait for you alone to first appear
High in the room or behind the flagstones
With the Saint's horse and the Easter egg

As if from a destroyed fresco
Large as small life wanted you
To fit inside a candle the stentorian volcanic flash

So no one might have seen nor heard
Anything in the deserts the ruined houses
About you, not the ancestor buried at yard's edge
Nor the old crone with all her herbs

About you only I, maybe, and the music
I chase from me but stronger it returns
For you the unformed twelve-year-old breast
Turned to the future with its red crater
For you the bitter odor like a pin
That in the body finds and pierces memory
And there's the soil, there doves, there our ancient earth.

VI

I've seen a lot and the earth, to my mind, is more beautiful
More beautiful in the golden vapors
The cutting stone, more beautiful

Τὰ μπλάβα τῶν ἰσθμῶν καὶ οἱ στέγες μέσ' στὰ κύματα
Ὡραιότερες οἱ ἀχτίδες ὅπου δίχως νὰ πατεῖς περνᾶς
Ἀήττητη ὅπως ἡ Θεὰ τῆς Σαμοθράκης πάνω ἀπὸ τὰ βουνὰ τῆς
θάλασσας

Ἔτσι σ' ἔχω κοιτάξει ποὺ μοῦ ἀρκεῖ
Νά 'χει ὁ χρόνος ὅλος ἀθωωθεῖ
Μέσ' στὸ αὐλάκι ποὺ τὸ πέρασμά σου ἀφήνει
Σὰν δελφίνι πρωτόπειρο ν' ἀκολουθεῖ

Καὶ νὰ παίζει μὲ τ' ἄσπρο καὶ τὸ κυανὸ ἡ ψυχή μου!

Νίκη, νίκη ὅπου ἔχω νικηθεῖ
Πρὶν ἀπὸ τὴν ἀγάπη καὶ μαζὶ
Γιὰ τὴ ρολογιὰ καὶ γιὰ τὸ γκιοὺλ-μπρισίμι
Πήγαινε, πήγαινε καὶ ἂς ἔχω ἐγὼ χαθεῖ

Μόνος, καὶ ἂς εἶναι ὁ ἥλιος ποὺ κρατεῖς ἕνα παιδὶ νεογέννητο
Μόνος, καὶ ἂς εἶμ' ἐγὼ ἡ πατρίδα ποὺ πενθεῖ
Ἂς εἶναι ὁ λόγος ποὺ ἔστειλα νὰ σοῦ κρατεῖ δαφνόφυλλο
Μόνος, ὁ ἀέρας δυνατὸς καὶ μόνος τ' ὁλοστρόγγυλο
Βότσαλο στὸ βλεφάρισμα τοῦ σκοτεινοῦ βυθοῦ
Ὁ ψαρὰς ποὺ ἀνέβασε κι ἔριξε πάλι πίσω στοὺς καιροὺς τὸν
Παράδεισο!

VII

Στὸν Παράδεισο ἔχω σημαδέψει ἕνα νησὶ
Ἀπαράλλαχτο ἐσὺ κι ἕνα σπίτι στὴ θάλασσα

Μὲ κρεβάτι μεγάλο καὶ πόρτα μικρὴ
Ἔχω ρίξει μέσ' στ' ἄπατα μιὰν ἠχὼ
Νὰ κοιτάζομαι κάθε πρωὶ ποὺ ξυπνῶ

Νὰ σὲ βλέπω μισὴ νὰ περνᾶς στὸ νερὸ
Καὶ μισὴ νὰ σὲ κλαίω μέσ' στὸν Παράδεισο.

The isthmus purple and the roofs like waves
The rays more beautiful where without stepping you pass
Invincible like the goddess of Samothrace over the mountainous sea

I've seen you so and it's enough
That all time's been absolved
In the small channel your passing leaves
Like a novice dolphin following

And playing with the white and the cyanic blue my soul!

Victory, victory where I've been beaten
Before love and with love
To passion flowers and mimosa
Go, go, even if I am lost

Alone, though the sun you hold is a newborn
Alone, though I'm the homeland that mourns
Though the word I sent to hold a laurel to you is
Alone, the wind strong and alone
In the blink of the dark seafloor the pebble
Paradise
The fisherman lifted and threw back again at Time.

VII

In Paradise I've sighted an island
Identical you and a house by the sea

With a big bed and a small door
I've thrown an echo to the deep
To see myself each morning waking

To see you half passing in the water
And weep for you half in Paradise.

MARIA NEFELE

Guess, work, feel:

From the other side I am the same.

Η ΠΑΡΟΥΣΙΑ

Μ.Ν. Περπατῶ μὲς στ' ἀγκάθια μὲς στὰ σκοτεινὰ
σ' αὐτὰ πού 'ναι νὰ γίνουν καὶ στ' ἀλλοτινὰ
κι ἔχω γιὰ μόνο μου ὅπλο μόνη μου ἄμυνα
τὰ νύχια μου τὰ μὼβ σὰν τὰ κυκλάμινα.

Α. Παντοῦ τὴν εἶδα. Νὰ κρατάει ἕνα ποτήρι καὶ νὰ κοιτάζει στὸ κενό. Ν' ἀκούει δίσκους ξαπλωμένη χάμου. Νὰ περπατάει στὸ δρόμο μὲ φαρδιὰ παντελόνια καὶ μιὰ παλιὰ γκαμπαρντίνα. Μπρὸς ἀπὸ τὶς βιτρίνες τῶν παιδιῶν. Πιὸ θλιμμένη τότε. Καὶ στὶς δισκοθῆκες, πιὸ νευρική, νὰ τρώει τὰ νύχια της. Καπνίζει ἀμέτρητα τσιγάρα. Εἶναι χλωμὴ κι ὡραία. Μ' ἂν τῆς μιλᾶς οὔτε ποὺ ἀκούει καθόλου. Σὰ νὰ γίνεται κάτι ἀλλοῦ — ποὺ μόνο αὐτὴ τ' ἀκούει καὶ τρομάζει. Κρατάει τὸ χέρι σου σφιχτά, δακρύζει, ἀλλὰ δὲν εἶναι ἐ κ ε ῖ. Δὲν τὴν ἔπιασα ποτὲ καὶ δὲν τῆς πῆρα τίποτα.

Μ.Ν. Τίποτα δὲν κατάλαβε. Ὅλη τὴν ὥρα μοῦ 'λεγε «θυμᾶσαι;» Τί νὰ θυμηθῶ. Μονάχα τὰ ὄνειρα θυμᾶμαι γιατὶ τὰ βλέπω νύχτα. Ὅμως τὴ μέρα αἰσθάνομαι ἄσχημα — πῶς νὰ τὸ πῶ: ἀπροετοίμαστη. Βρέθηκα μέσα στὴ ζωὴ τόσο ἄξαφνα — κεῖ ποὺ δὲν τὸ περίμενα καθόλου. Ἔλεγα «μπὰ θὰ συνηθίσω». Κι ὅλα γύρω μου ἔτρεχαν. Πράγματα κι ἄνθρωποι ἔτρεχαν, ἔτρεχαν — ὥσπου βάλθηκα κι ἐγὼ νὰ τρέχω σὰν τρελή. Ἀλλὰ φαίνεται, τὸ παράκανα. Ἐπειδὴ — δὲν ξέρω — κάτι παράξενο ἔγινε στὸ τέλος. Πρῶτα ἔβλεπα τὸν νεκρὸ κι ὕστερα γινόταν ὁ φόνος. Πρῶτα ἐρχόταν τὸ αἷμα κι ὕστερα ὁ χτύπος κι ἡ κραυγή. Καὶ τώρα ὅταν ἀκούω νὰ βρέχει δὲν ξέρω τί μὲ περιμένει...

Α. «Γιατί δὲ θάβουν τοὺς ἀνθρώπους ὄρθιους σὰν Μητροπολιτάδες»; — ἔτσι μοῦ 'λεγε. Καὶ μιὰ φορά, θυμᾶμαι, καλοκαίρι στὸ νησί, ποὺ γυρίζαμε ὅλοι ἀπὸ ξενύχτι, ξημερώματα, πηδήσαμε ἀπ' τὰ κάγκελα στὸν κῆπο τοῦ Μουσείου. Χόρευε πάνω στὶς πέτρες καὶ δὲν ἔβλεπε τίποτα.

THE PRESENCE

MARIA NEFELE: I walk in thorns in the dark
of what's to happen and what has
with my only weapon my only defense
my nails purple like cyclamens.

ANTIPHONIST: I saw her everywhere. Holding a glass and staring into space. Lying down listening to records. Walking the streets in wide trousers and an old gabardine. In front of children's store windows. Sadder then. And in discoteques, more nervous, eating her nails. She smokes innumerable cigarettes. She is pale and beautiful. But if you talk to her she doesn't hear at all. As if something is happening — she alone hears it and is frightened. She holds your hand tight, tears, but is not *there*. I never touched her and I never took from her anything.

M.N. He understood nothing. He kept asking all the time "remember?" What's to remember? My dreams alone I remember because I see them at night. Days I feel bad — how to say: unprepared. I found myself so suddenly, in life — where I'd hardly expected. I'd say "Bah, I'll get used to it." And everything around me ran. Things and people ran, ran — until I set myself to run like crazy. But, it seems, I overdid. Because — I don't know — something strange happened in the end. First I'd see the corpse and then the murder. First came the blood and then the blow and cry. And now, when I hear rain I don't know what's waiting...

A. "Why don't they bury people standing up like archbishops?" — that's what she'd say to me. And once, I remember, summer on the island, all of us coming from a party, dawn, we jumped over the bars of the museum's garden. She danced on the stones and she saw nothing.

Μ.Ν. Ἔβλεπα τὰ μάτια του. Ἔβλεπα κάτι παλιοὺς ἐλαιῶνες.

Α. Ἔβλεπα μιὰν ἐπιτύμβια στήλη. Μιὰ κόρη ἀνάγλυφη πάνω στὴν πέτρα. Ἔμοιαζε λυπημένη καὶ κρατοῦσε στὴ χούφτα της ἕνα μικρὸ πουλί.

Μ.Ν. Ἐμένα κοίταζε, τὸ ξέρω, ἐμένα κοίταζε. Κοιτάζαμε κι οἱ δυὸ τὴν ἴδια πέτρα. Κοιταζόμασταν μὲς ἀπ᾿ τὴν πέτρα.

Α. Ἦταν ἤρεμη καὶ κρατοῦσε στὴ χούφτα της ἕνα μικρὸ πουλί.

Μ.Ν. Ἤτανε καθιστή. Κι ἤτανε πεθαμένη.

Α. Ἤτανε καθιστὴ καὶ κρατοῦσε στὴ χούφτα της ἕνα μικρὸ πουλί. Δὲν θὰ κρατήσεις ποτέ σου ἕνα πουλὶ ἐσὺ — δὲν εἶσαι ἄξια!

Μ.Ν. Ὤ, ἂν μ᾿ ἀφήνανε, ἂν μ᾿ ἀφήνανε.

Α. Ποιός νὰ σ᾿ ἀφήσει;

Μ.Ν. Αὐτὸς ποὺ δὲν ἀφήνει τίποτα.

Α. Αὐτός, αὐτὸς ποὺ δὲν ἀφήνει τίποτα
κόβεται ἀπ᾿ τὴ σκιά του κι ἀλλοῦ περπατᾶ

Μ.Ν. Εἶναι ὰ λόγια του ἄσπρα κι εἶναι ἀνείπωτα
κι εἶναι τὰ μάτια του βαθιὰ κι ἀνύπνωτα...

Α. Μά ᾿χε πάρει ὅλο τὸ πάνω μέρος ἀπ᾿ τὴν πέτρα. Καὶ μαζὶ μ᾿ αὐτὴν καὶ τ᾿ ὄνομά της.

Μ.Ν. ΑΡΙΜΝΑ ... σὰ νὰ τὰ βλέπω ἀκόμη χαραγμένα τὰ γράμματα μέσα στὸ φῶς ... ΑΡΙΜΝΑ ΕΦΗ ΕΛ ...

Α. Ἔλειπε. Ὅλο τὸ πάνω μέρος ἔλειπε. Γράμματα δὲν ὑπήρχανε καθόλου.

Μ.Ν. ΑΡΙΜΝΑ ΕΦΗ ΕΛ ... ἐκεῖ, πάνω σ᾿ αὐτὸ τὸ ΕΛ ἡ πέτρα εἶχε κοπεῖ καὶ σπάσει. Τὸ θυμᾶμαι καλά.

M.N. I saw his eyes. I saw some old olive groves.

A. I saw a column on a grave. A girl in relief on the stone. She seemed sad and held a small bird in her cupped hand.

M.N. He was looking at me, I know, he was looking at me. We both were looking at the same stone. We looked at each other through the stone.

A. She was calm and in her palm she held a small bird.

M.N. She was sitting and she was dead.

A. She was sitting and in her palm she held a small bird. You'll never hold a bird like that—you aren't able.

M.N. Oh if they let me, if they let me.

A. If who let you?

M.N. The one who lets nothing.

A. He, he who lets nothing
is cut by his shadow and walks away.

M.N. His words are white and unspeakable
his eyes deep and without sleep...

A. But the whole upper part of the stone was taken. And with it her name.

M.N. ARIMNA—as if I could still see the letters carved inside the light...ARIMNA EFE EL...

A. Gone. The whole top gone. There were no letters at all.

M.N. ARIMNA EFE EL—there, on that EL the stone had cut and broken. I remember it well.

Α. Στ' ὄνειρό της φαίνεται θὰ τό 'χε δεῖ κι αὐτὸ γιὰ νὰ τὸ θυμᾶται.

Μ.Ν. Στ' ὄνειρό μου, ναί. Σ' ἕναν ὕπνο μεγάλο ποὺ θά 'ρθει κάποτε ὅλο φῶς καὶ ζέστη καὶ μικρὰ πέτρινα σκαλιά. Θὰ περνᾶνε στὸ δρόμο ἀγκαλιασμένα τὰ παιδιὰ ὅπως σὲ κάτι παλιὲς ταινίες ἰταλιάνικες. Ἀπὸ παντοῦ θ' ἀκοῦς τραγούδια καὶ θὰ βλέπεις πελώριες γυναῖκες σὲ μικρὰ μπαλκόνια νὰ ποτίζουν τὰ λουλούδια τους.

Α. Ἕνα μεγάλο θαλασσὶ μπαλόνι θὰ μᾶς πάρει τότε ψηλά, μιὰ-δῶ, μιὰ-κεῖ, θὰ μᾶς χτυπᾶ ὁ ἀέρας. Πρῶτα θὰ ξεχωρίσουν οἱ ἀσημένιοι τροῦλοι, κατόπιν τὰ καμπαναριά. Θὰ φανοῦν οἱ δρόμοι πιὸ στενοί, πιὸ ἴσιοι ἀπ' ὅ,τι φανταζόμασταν. Οἱ ταράτσες μὲ τὶς κάτασπρες ἀντένες γιὰ τὴν τηλεόραση. Καὶ οἱ λόφοι ἕνα γύρο κι οἱ χαρταετοὶ — ξυστὰ θὰ περνᾶμε ἀπὸ δίπλα τους. Ὥσπου κάποια στιγμὴ θὰ δοῦμε ὅλη τὴ θάλασσα. Οἱ ψυχὲς ἐπάνω της θ' ἀφήνουν μικροὺς λευκοὺς ἀτμούς.

Μ.Ν. Ἔχω σηκώσει χέρι καταπάνου στὰ βουνὰ τὰ μαῦρα καὶ τὰ δαιμονικὰ τοῦ κόσμου τούτου. Ἔχω πεῖ στὴν ἀγάπη «γιατί» καὶ τὴν ἔχω κυλήσει στὸ πάτωμα. Ἔγιναν οἱ πολέμοι καὶ ξανάγιναν καὶ δὲν ἔμεινε οὔτ' ἕνα κουρέλι νὰ τὸ κρύψουμε βαθιὰ στὰ πράγματά μας καὶ νὰ τὸ λησμονήσουμε. Ποιός ἀκούει; Ποιός ἄκουσε; Δικαστές, παπάδες, χωροφύλακες, ποιά εἶναι ἡ χώρα σας; Ἕνα κορμὶ μοῦ μένει καὶ τὸ δίνω. Σ' αὐτὸ καλλιεργοῦνε, ὅσοι ξέρουν, τὰ ἱερά, ὅπως οἱ κηπουροὶ στὴν Ὀλλανδία τὶς τουλίπες. Καὶ σ' αὐτὸ πνίγονται ὅσοι δὲν ἔμαθαν ποτὲ ἀπὸ θάλασσα κι ἀπὸ κολύμπι...
Ροὲς τῆς θάλασσας καὶ σεῖς τῶν ἄστρων μακρινὲς ἐπιρροὲς — παρασταθεῖτε μου!

Α. Ἔχω σηκώσει χέρι καταπάνου στὰ
δαιμονικὰ τοῦ κόσμου τ' ἀνεξόρκιστα
κι ἀπὸ τὸ μέρος τὸ ἄρρωστο γυρίστηκα
στὸν ἥλιο καὶ στὸ φῶς αὐτοεξορίστηκα!

Μ.Ν. Κι ἀπ' τὶς φουρτοῦνες τὶς πολλὲς γυρίστηκα
μὲς στοὺς ἀνθρώπους αὐτοεξορίστηκα!

A. She must have seen it in a dream since she remembers.

M.N. In my dream, yes. In a large sleep that will come sometime all light and heat and small stony steps. The children will walk in the streets arm in arm like in some old Italian movies. Song everywhere and enormous women in small balconies watering their flowers.

A. A large blue balloon will take us high then, here and there, the wind will beat us. The silver domes will stand out first, then the bellfries. The streets will appear narrower and straighter than we imagined. The terraces with the white television antennas. And all around the hills, and the kites – so close we'll just shave past them. Until one moment we'll see the whole sea. On it the souls will be leaving small white steams.

M.N. I have lifted my hand against the mountains, the dark and the demonic of this world. I've asked love "why?" and rolled her on the floor. War and war and not one rag to hide deep in our things and forget. Who listens? Who listened? Judges, priests, police, which is your country? One body is left me and I give it. On it those who know cultivate the holy, as the gardeners in Holland tulips. And in it drown who never learned of sea or swimming... Flux of the sea and you stars' distant influx – stand by me!

A. I have lifted my hand against the
unexorcised demons of the world
and from the place of illness I have exited
to the sun and to the light self-exiled!

M.N. And from too many storms I've exited
self among humans exiled!

ΚΑΙ Ο ΑΝΤΙΦΩΝΗΤΗΣ:

ΑΥΤΟ ΠΟΥ ΠΕΙΘΕΙ

Παρακαλῶ προσέξετε τὰ χείλη μου: ἀπ' αὐτὰ ἐξαρτᾶται ὁ κόσμος.
Ἀπὸ τὶς συσχετίσεις ποὺ τολμοῦν καὶ ἀπὸ τὶς ἀπαράδεκτες
παρομοιώσεις ὅπως ὅταν ἕνα βράδυ ποὺ μυρίζει ὡραῖα
ρίχνουμε τὸν ξυλοκόπο τῆς Σελήνης χάμου
ἐκεῖνος μᾶς δωροδοκεῖ μὲ λίγο γιασεμὶ κι ἐμεῖς συγκατανεύουμε...

Αὐτὸ ποὺ πείθει διατείνομαι εἶναι σὰν τὴ χημικὴ οὐσία ποὺ ἀλλοιώνει.
Ἂς εἶναι ὡραῖο τὸ μάγουλο ἑνὸς κοριτσιοῦ
ὅλοι μας μὲ φαγωμένα μοῦτρα θὰ γυρίσουμε κάποτε ἀπ' τ' Ἀληθοτόπια.

Παιδιὰ πῶς δὲν ξέρω νὰ τὸ ἐξηγήσω
ἀλλὰ εἶναι ἀνάγκη νὰ ὑποκατασταθοῦμε στοὺς παλαιοὺς Ληστές.
Νὰ στέλνουμε τὸ χέρι μας καὶ νὰ πηγαίνει
ἐκεῖ ποὺ μιὰ γυναίκα σὰ Μηλιὰ καρτερεῖ μισὴ μέρα στὰ σύννεφα
ἐντελῶς ἀγνοώντας τὴν ἀπόσταση ποὺ μᾶς χωρίζει.

Καὶ κάτι ἀκόμη: ὅταν κινάει νὰ βρέχει
ἂς γδυνόμαστε καὶ ἂς λάμπουμε σὰν τό τριφύλλι...

ΘΑΛΑΣΣΑ ΛΑΝΘΑΣΜΕΝΗ ΔΕ ΓΙΝΕΤΑΙ.

THE ANTIPHONIST:

WHAT CONVINCES

Please pay attention to my lips: from them the world
depends.
From the associations they risk and the unacceptable
similes as when one fragrant night
we throw the Moon's woodcutter down
he bribes us with a little jasmine and we acquiesce...

What convinces I maintain is like the chemical substance that
transmutes.
Let the cheek of a girl be beautiful
all of us with eaten faces will return some day from the Truth-
sites.

Folks I can't explain it
but it's time to understudy the old Robbers.
To stretch our hand and have it go
where a woman like an apple tree waits half a day in the clouds
ignoring completely the distance that parts us.

And something else: when it starts to rain
let us undress and shine like clover.

WRONG SEA IS IMPOSSIBLE

Η ΜΑΡΙΑ ΝΕΦΕΛΗ ΛΕΕΙ:

ΟΙ ΠΟΙΗΤΕΣ

Τί νὰ σᾶς κάνω μάτια μου κι ἐσᾶς τοὺς Ποιητὲς
ποὺ χρόνια μοῦ καμώνεστε τὶς ψυχὲς τὶς ἀήττητες

Καὶ χρόνια περιμένετε κεῖνο ποὺ δὲν περίμενα
ὄρθιοι στὴ σειρὰ σὰν ἀζήτητα ἀντικείμενα...

Δὲν πά' νὰ σᾶς φωνάζουν — οὔτ' ἕνας σας δὲν ἀπαντᾶ
ἔξω χαλάει ὁ κόσμος καίγονται τὰ σύμπαντα

Τίποτα σεῖς διεκδικεῖτε — νά 'ξερα μὲ τί νοῦ —
τὰ δικαιώματά σας ἐπὶ τοῦ κενοῦ!

Σὲ καιροὺς λατρείας τοῦ πλούτου ὢ τῆς ἀμεριμνησίας
ἀποπνέετε τὸ μάταιο τῆς ἰδιοκτησίας

Πᾶτε κρατώντας τυλιγμένη μὲ φύλλα τῶν Βαγιῶ
τὴ δύστυχη καὶ μελανειμονοῦσα Ὑδρόγειο

Καὶ μὲς στὴν μπόχα γίνεστε τοῦ ἀνθρώπινου ὑδροθείου
τὰ ἐθελοντικὰ πειραματόζωα τοῦ Θείου.

ΑΠΟ ΤΟΝ ΘΕΟ ΤΡΑΒΙΕΤΑΙ Ο ΑΝΘΡΩΠΟΣ
ΟΠΩΣ Ο ΚΑΡΧΑΡΙΑΣ ΑΠΟ ΤΟ ΑΙΜΑ.

MARIA NEFELE:

THE POETS

What can I do with you my eyes the poets
who years now pretend invincible souls

And years wait for what I never did
standing in line like unclaimed objects...

What if they call you – not one of you answers
outside the world's a mess everything burning

Nothing you claim – I wish I knew with what brain
you rights in the vacuum!

In times of wealth's worship o abandon
you exude private property's vanity

Wrapped up in Palm leaves you go on holding
the wretched mourning-covered globe

And in the stench of human sulphur you become
the volunteer lab rats of the Holy.

MAN'S PULLED BY GOD
AS SHARK BY BLOOD.

ΚΑΙ Ο ΑΝΤΙΦΩΝΗΤΗΣ:

Η ΕΛΕΝΗ

Ἡ Μαρία Νεφέλη ἀναμφισβήτητα
εἶναι κορίτσι ὀξύ
ἀληθινὴ ἀπειλὴ τοῦ μέλλοντος·
κάποτε λάμπει σὰν μαχαίρι
καὶ μιὰ σταγόνα αἷμα ἐπάνω της
ἔχει τὴν ἴδια σημασία ποὺ εἶχε ἄλλοτε
τὸ Λάμδα τῆς Ἰλιάδας.

Ἡ Μαρία Νεφέλη πάει μπροστὰ
λυτρωμένη ἀπὸ τὴν ἀπεχθῆ ἔννοια τοῦ αἰώνιου κύκλου.

Καὶ μόνο μὲ τὴν ὕπαρξή της
ἀποτελειώνει τοὺς μισοὺς ἀνθρώπους.

Ἡ Μαρία Νεφέλη ζεῖ στοὺς ἀντίποδες τῆς Ἠθικῆς
εἶναι ὅλο ἦθος.

Ὅταν λέει «θὰ κοιμηθῶ μ᾽ αὐτὸν»
ἐννοεῖ ὅτι θὰ σκοτώσει ἀκόμη μιὰ φορὰ τὴν Ἱστορία.
Πρέπει νὰ δεῖ κανεὶς τί ἐνθουσιασμὸς ποὺ πιάνει τότε τὰ πουλιά.

Ἐξ ἄλλου μὲ τὸν τρόπο της
διαιωνίζει τὴν φύση τῆς ἐλιᾶς.
Γίνεται ἀνάλογα μὲ τὴ στιγμὴ
πότε ἀσημένια πότε βαθυκύανη.

Γι᾽ αὐτὸ καὶ οἱ ἀντίπαλοι ὁλοένα
ἐκστρατεύουν — κοιτάξετε:
ἄλλοι μὲ τὶς κοινωνικές τους θεωρίες
πολλοὶ κραδαίνοντας ἁπλῶς λουλούδια

Κάθε καιρὸς κι ἡ Ἑλένη του.

ΑΠΟ ΤΟΝ ΣΤΟΧΑΣΜΟ ΣΟΥ ΠΗΖΕΙ Ο ΗΛΙΟΣ ΜΕΣ
ΣΤΟ ΡΟΔΙ
ΚΙ ΕΥΦΡΑΙΝΕΤΑΙ.

THE ANTIPHONIST:

HELEN

Maria Nefele doubtlessly
is a sharp girl
a true threat of the future;
sometimes she shines like a knife
and a drop of blood on her
has the signficance that another time
the L of the Iliad had.

Maria Nefele goes forth
liberated from the abhored notion of the eternal cycle.

With her existence alone
she annihilates off half the people.

Maria Nefele lives at the antipodes of Ethics
she is all habit.

When she says "I'll sleep with him'"
she means she'll kill history one more time.
One must see then what enthusiasm overtakes the birds.

Besides in her manner
she perpetuates the olive's nature.
She becomes according to the moment
now silver now deeply blue.

And that's why adversaries continuously
march — look:
some with their social theories
many simply brandishing flowers

Every time and its Helen.

FROM YOUR REFLECTION SUN CONGEALS
INSIDE THE POMEGRANATE AND REJOICES.

ΤΟ ΤΡΑΓΟΥΔΙ ΤΗΣ ΜΑΡΙΑΣ ΝΕΦΕΛΗΣ

«Κρίμας τὸ κορίτσι» λένε
τὸ κεφάλι τους κουνᾶν
Τάχατες γιὰ μένα κλαῖνε
δὲ μ᾽ ἀπαρατᾶν!

Μὲς στὰ σύννεφα βολτάρω
σὰν τὴν ὄμορφη ἀστραπὴ
κι ὅ,τι δώσω κι ὅ,τι πάρω
γίνεται βροχή.

Βρὲ παιδιὰ προσέξετέ με
κόβω κι ἀπ᾽ τὶς δυὸ μεριές·
τὸ πρωὶ ποὺ δὲ μιλιέμαι
βρίζω Παναγιὲς

καὶ τὸ βράδυ ὅπου κυλιέμαι
στὰ γρασίδια καθενοῦ
λὲς καὶ κονταροχτυπιέμαι
ντρούγκου-ντρούγκου-ντρού.

Τὴ χαρὰ δὲν τὴ γνωρίζω
καὶ τὴ λύπη τὴν πατῶ
Σὰν τὸν ἄγγελο γυρίζω
πάνω ἀπ᾽ τὸν γκρεμό.

MARIA NEFELE'S SONG

"What a waste of a girl" they say
shake their heads
like it's for me they worry
I wish they'd buzz off!

I cruise the clouds
like the beautiful lightning
and what I give and take
turns to rain.

Hey look at me guys
I cut on both sides
mornings I can't be talked to
curse Marys

nights I roll
on anybody's lawn
as if polestruck
drunga-drunga-drung.

I haven't met joy
and I step on grief
like an angel I turn
over the ravine.

ΚΑΙ Ο ΑΝΤΙΦΩΝΗΤΗΣ:

Ο ΝΕΦΕΛΗΓΕΡΕΤΗΣ

Ἆ τί ὡραῖα νά 'σαι νεφεληγερέτης
νὰ γράφεις σὰν τὸν Ὅμηρο ἐποποιίες στὰ παλιὰ παπούτσια σου
νὰ μὴ σὲ νοιάζει ἂν ἀρέσεις ἢ ὄχι
τίποτε

Ἀπερίσπαστος νέμεσαι τὴν ἀντιδημοτικότητα
ἔτσι· μὲ γενναιοδωρία· σὰν νὰ διαθέτεις
νομισματοκοπεῖο καὶ νὰ τὸ κλείνεις
ν' ἀπολύεις ὅλο τὸ προσωπικὸ
νὰ κρατᾶς μιὰ φτώχεια ποὺ δὲν τὴν ἔχει ἄλλος κανεὶς
ἐντελῶς δική σου.
Τὴν ὥρα ποὺ μὲς στὰ γραφεῖα τους ἀπεγνωσμένα
κρεμασμένοι ἀπ' τὰ τηλέφωνά τους
παλεύουν γιά 'να τίποτα οἱ χοντράνθρωποι
ἀνεβαίνεις ἐσὺ μέσα στὸν Ἔρωτα
καταμουντζουρωμένος ἀλλ' εὐκίνητος
σὰν καπνοδοχοκαθαριστὴς
κατεβαίνεις ἀπ' τὸν Ἔρωτα ἕτοιμος νὰ ἱδρύσεις
μιὰ δική σου λευκὴ παραλία

χωρὶς λεφτὰ

γδύνεσαι ὅπως γδύνονται ὅσοι νογοῦν τ' ἀστέρια
καὶ μ' ὀργιὲς μεγάλες ἀνοίγεσαι νὰ κλάψεις ἐλεύθερα...

ΕΙΝΑΙ ΔΙΓΑΜΙΑ Ν'ΑΓΑΠΑΣ ΚΑΙ ΝΑ ΟΝΕΙΡΕΥΕΣΑΙ

THE ANTIPHONIST:

THE NEFELEGERÉTES
(who gathers clouds)

Ah how beautiful to hang out with the clouds
to write like Homer epics on old shoes
to not care if you're liked or not
nothing

Free of distraction to reap unpopularity
like this; with generosity; as if you owned
a mint and shut it
fired all personnel
to keep a poverty had by no other
completely yours.
At the hour when at their bureaus without hope
hanging by phones
they fight for nothing the fat people
you go up inside Eros
totally smudged but limber
a chimneysweep
you come down from Eros ready to found
your own white beach

without money

you undress as they who know of stars undress
and with large leagues open yourself freely to cry...

IT IS BIGAMY TO LOVE AND TO DREAM.

ΚΑΙ Η ΜΑΡΙΑ ΝΕΦΕΛΗ:

Ο ΧΑΡΤΑΕΤΟΣ

Κι ὅμως ἤμουν πλασμένη γιὰ χαρταετός.
Τὰ ὕψη μοῦ ἄρεσαν ἀκόμη καὶ ὅταν
ἔμενα στὸ προσκέφαλό μου μπρούμυτα
τιμωρημένη
ὧρες καὶ ὧρες
Ἔνιωθα τὸ δωμάτιό μου ἀνέβαινε
δὲν ὀνειρευόμουν — ἀνέβαινε
φοβόμουνα καὶ μοῦ ἄρεσε.
Ἦταν ἐκεῖνο ποὺ ἔβλεπα πῶς νὰ τὸ πῶ
κάτι σὰν τὴν «ἀνάμνηση τοῦ μέλλοντος»
ὅλο δέντρα ποὺ ἔφευγαν βουνὰ ποὺ ἀλλάζαν ὄψη
χωράφια γεωμετρικὰ μὲ δασάκια σγουρὰ
σὰν ἐφηβαῖα — φοβόμουνα καὶ μοῦ ἄρεσε
ν' ἀγγίζω μόλις τὰ καμπαναριὰ
νὰ τοὺς χαϊδεύω τὶς καμπάνες σὰν ὄρχεις καὶ νὰ χάνομαι ..

Ἄνθρωποι μ' ἐλαφρὲς ὀμπρέλες περνούσανε λοξὰ
καὶ μοῦ χαμογελούσανε·
κάποτε μοῦ χτυπούσανε στὸ τζάμι: «δεσποινὶς»
φοβόμουνα καὶ μοῦ ἄρεσε.
Ἦταν οἱ «πάνω ἄνθρωποι» ἔτσι τοὺς ἔλεγα
δὲν ἦταν σὰν τοὺς «κάτω»·
εἴχανε γενειάδες καὶ πολλοὶ κρατούσανε στὸ χέρι μιὰ γαρδένια·
μερικοὶ μισάνοιγαν τὴν μπαλκονόπορτα
καὶ μοῦ βάζαν ἀλλόκοτους δίσκους στὸ πικ-άπ.
Ἦταν θυμᾶμαι «Ἡ Ἀννέτα μὲ τὰ σάνταλα»
«Ὁ Γκέυζερ τῆς Σπιτσβέργης»
τὸ «Φροῦτο δὲν ἐδαγκώσαμε Μάης δὲν θὰ μᾶς ἔρθει»
(ναὶ θυμᾶμαι καὶ ἄλλα)
τὸ ξαναλέω — δὲν ὀνειρευόμουν
αἴφνης ἐκεῖνο τὸ «Μισάνοιξε τὸ ροῦχο σου κι ἔχω πουλὶ γιὰ
σένα».
Μοῦ τό 'χε φέρει ὁ Ἱππότης-ποδηλάτης
μιὰ μέρα ποὺ καθόμουνα κι ἔκανα πὼς ἐδιάβαζα
τὸ ποδήλατό του μὲ ἄκρα προσοχὴ

MARIA NEFELE:

THE KITE

And yet I was meant to be a kite.
I liked heights even when
I stayed on my pillow face down
punished
hours and hours.
I felt my room rose
I wasn't dreaming – rose
I was scared and I liked it.
What I saw was how to say
something like a "remembrance of the future"
all trees departing mountains changing face
geometric fields with small curly forests
like pubes – I was scared and I liked it
barely touching the bellfries
caressing their bells like balls and getting lost...

People with light umbrellas ambled by on an angle
and smiled at me;
sometimes they rapped on the window: "miss"
I was scared and I liked it.
They were the "up people" that's what I called them
they weren't like the "down";
they had beards and many held in hand a gardenia;
some half-opened the balcony door
and put strange records on the hi-fi.
There was I remember "Annetta with sandals"
"The Geyser of Spitsburgh"
the "Fruit we didn't bite May won't visit us"
(yes I remember others)
I say it again – I wasn't dreaming
suddenly that "Half-part your garment and I have a bird for you."
The bicycle knight had brought it
one day I was sitting pretending to read
with extreme attention he had leaned

ΚΑΙ Η ΜΑΡΙΑ ΝΕΦΕΛΗ:

τό 'χε ἀκουμπήσει πλάι στὸ κρεβάτι μου·
ὕστερα τράβηξε τὸν σπάγκο κι ἐγὼ κολπώνομουν μὲς στὸν ἀέρα
φέγγανε τὰ χρωματιστά μου ἐσώρουχα
κοίταζα πόσο διάφανοι γίνονται κεῖνοι ποὺ ἀγαποῦνε
τροπικὰ φροῦτα καὶ μαντίλια μακρινῆς ἠπείρου·
φοβόμουνα καὶ μοῦ ἄρεσε
τὸ δωμάτιό μου ἀνέβαινε
ἢ ἐγὼ — δὲν τὸ κατάλαβα ποτέ μου.
Εἶμαι ἀπὸ πορσελάνη καὶ μαγνόλια
τὸ χέρι μου κατάγεται ἀπὸ τοὺς πανάρχαιους Ἴνκας
ξεγλιστράω ἀνάμεσα στὶς πόρτες ὅπως
ἕνας ἀπειροελάχιστος σεισμὸς
ποὺ τὸν νιώθουν μονάχα οἱ σκύλοι καὶ τὰ νήπια·
δεοντολογικὰ θὰ πρέπει νὰ εἶμαι τέρας
καὶ ὅμως ἡ ἐναντίωση
ἀείποτε μ' ἔθρεψε καὶ αὐτὸ ἐναπόκειται
σ' ἐκείνους μὲ τὸ μυτερὸ καπέλο
ποὺ συνομιλοῦν κρυφὰ μὲ τὴ μητέρα μου
τὶς νύχτες νὰ τὸ κρίνουν. Κάποτε
ἡ φωνὴ τῆς σάλπιγγας ἀπὸ τοὺς μακρινοὺς στρατῶνες
μὲ ξετύλιγε σὰν σερπαντίνα καὶ ὅλοι γύρω μου
χειροκροτοῦσαν — ἀπιστεύτων χρόνων θραύσματα
μετέωρα ὅλα.
Στὸ λουτρὸ ἀπὸ δίπλα οἱ βρύσες ἀνοιχτὲς
μπρούμυτα στὸ προσκέφαλό μου
θωροῦσα τὶς πηγὲς μὲ τὸ ἄσπιλο λευκὸ ποὺ μὲ πιτσίλιζαν·
τίς ὡραῖα Θεέ μου τί ὡραῖα
χάμου στὸ χῶμα ποδοπατημένη
νὰ κρατάω ἀκόμη μὲς στὰ μάτια μου
ἕνα τέτοιο μακρινὸ τοῦ παρελθόντος πένθος.

ΚΙ ΑΠΟ ΤΗΝ ΑΝΑΠΟΔΗ ΦΟΡΙΕΤΑΙ Η ΦΑΝΤΑΣΙΑ
ΚΑΙ Σ' ΟΛΑ ΤΑ ΜΕΓΕΘΗ ΤΗΣ.

his bicycle next to my bed;
then he pulled the string and I engulfed the air
my colored underthings were shining
I was watching how transparent those who love become
tropical fruit and kerchiefs of distant continents;
I was scared and I liked it.
My room rose
or I—I never understood it.
I of porcelain and magnolia
my hand descends from the most ancient Inca
I slip between doors as
an infinitesimal earthquake
felt only by infants and dogs;
by necessity I must be a monster
and yet opposition
has always nourished me and that remains
for those with pointed hats
who converse secretly with my mother
at night to solve. Sometimes
the trumpet cry from the distant barracks
unraveled me like a streamer and everyone around
was clapping—disbelieved years in fragments
suspended in the air.
In the bath next door the faucets open
face down on my pillow
I watched the immaculate white fountains splashing me;
how beautiful my god how beautiful
foot-trampled on the ground
to still hold in my eyes
such mourning for the distant past.

INSIDE AND OUT IMAGINATION'S WORN
AND IN ALL HER SIZES.

Ο ΑΝΤΙΦΩΝΗΤΗΣ ΛΕΕΙ:

Ο ΠΡΟΠΑΤΟΡΙΚΟΣ ΠΑΡΑΔΕΙΣΟΣ

Δὲν σκαμπάζω γρῦ ἀπὸ προπατορικὰ ἁμαρτήματα
καὶ ἄλλα τῶν Δυτικῶν ἐφευρήματα.
Ὅμως ἀλήθεια ἐκεῖ μακριὰ
στὴ δροσιὰ τῶν πρώτων ἡμερῶν
πρὶν ἀπὸ τὸ καλύβι τῆς μητέρας μας
τί ὡραῖα ποὺ ἦταν!

Τὰ λευκὰ τῶν ἀγγέλων σὰ νὰ τὰ θυμᾶμαι
κλεῖναν μπροστὰ μὰ τ᾽ ἄφηναν ξεκούμπωτα
ἴδια κορίτσια μὲ ποδιὲς ἀπ᾽ αὐτὰ ποὺ δουλεύουνε στὰ κομμω-
τήρια
θαῦμα — καὶ ὅλα τὰ γεράνια
σ᾽ ἕνα μακρὺ πεζούλι ἀσβεστωμένο
γυρισμένα στὸν ἄνεμο ἔβλεπες ν᾽ ἀλέθουνε
ἀσταμάτητα τὴ μαύρη ψίχα τοῦ ἥλιου.

Μέρες νωπὲς στὴν ὄμπρα καὶ στὴ σιέννα
πού ᾽μοιαζε τὸ νησὶ μ᾽ ἕνα Λασήθι ἀπέραντο
ἐλαφρὺ καὶ ἀπιθωμένο μόλις
πάνω σὲ μιὰ θαμπωτικὴ θρυψαλλιασμένη θάλασσα.

Τό ᾽να πόδι πάνου στ᾽ ἄλλο
στὴν ἀμμουδιὰ ποὺ ρίγωνε ὁ ἀέρας
ὅλο σπίθα χρυσὴ ἀπ᾽ τοὺς φτερνιστῆρες
νὰ καλπάζουν ἔβλεπα θυμᾶμαι
κορίτσια τοῦ σιρόκου μὲ δροσεροὺς γλουτοὺς
ξετυλίγοντας ἕνα μαλλὶ ἀπὸ κύτισο·
κι ἡ καρδιά μου ἀντίκρυ στὰ γυμνὰ βουνὰ
ντούκου-ντούκου ἀντηχοῦσε καθὼς μπενζινοκάικο.

Ἤτανε στὸν καιρὸ τοῦ Φύλλου τοῦ Γυαλιστεροῦ
ὅπου βασίλευαν ὁ Σάθης κι ἡ Μηριόνη.

Τὶς νύχτες εἶχα νόημα — τό ᾽δινα σ᾽ ὅλα τ᾽ ἀηδόνια

THE ANTIPHONIST:

THE FOREFATHERS' PARADISE

I don't know shit about forefathers' sins
and other Western inventions.
But really there away
in the dew of the first days
before our mother's hut
how beautiful it was.

The angels' whites as I recall them
closed in the front but were left unbuttoned
just like the overalls of girls working in salons
fabulous – and all the geraniums
on a long whitewashed flagstone
turned to the wind you could see them milling
ceaselessly the black bread of the sun.

Fresh days in umbra and in sienna
when the island seemed a boundless Lassithi
weightless and just cast
on a dazzling shattered sea.

One leg over the other
on the beach ridged by the wind
all gold sparks from spurs
galloping I watched I remember
siroko girls with cool thighs
unwinding a hair like clover;
and my heart against the naked mountains across
dook-dook counterechoed like a motor schooner.

It was the time of Leaf and Shiny
when Seth and Merione ruled.

Nights I had meaning – I gave it to all the nightingales

Ο ΑΝΤΙΦΩΝΗΤΗΣ ΛΕΕΙ:

κι ἦταν ὁ ὕπνος ὁ γλυκὸς γιομάτος μισοφέγγαρα
ρυάκια σὲ ντὸ μείζονα γιὰ βιόλα ντ᾽ ἀμόρε.

Ἤτανε μαργαρίτες ποὺ τὶς ἔτρωγες
κι ἄλλες ποὺ ἀνάβανε μὲς στὸ σκοτάδι σὰν βεγγαλικά·
μουγκρίζανε οἱ ἀφάνες κι ἔκαναν τὸν ἔρωτα·
κάτω ἀπ᾽ τὰ πόδια σου περνούσανε ἄστρα
σὰν κοπάδια ψαριῶν καὶ τὸ μπουγάζι
μπλὲ βαθὺ προχωροῦσε στὰ σπλάχνα σου —
τί ὡραῖα ποὺ ἦταν!

Οἱ ἄγγελοι μὲ πειράζανε· πολλὲς φορὲς
συναγμένοι γύρω μου ρωτούσανε:
«τί ἔστιν πόνος;» καὶ «τί νόσος;» καὶ διόλου δὲν ἤξερα.
Δὲν ἤξερα δὲν εἶχα κὰν ποτέ μου ἀκούσει γιὰ
τὸ Δέντρο ἀπ᾽ ὅπου μπῆκε ὁ θάνατος στὸν κόσμο.
Λοιπόν; Ἦταν ἀλήθεια ὁ θάνατος; Ὄχι αὐτὸς — ὁ ἄλλος
ποὺ θά ᾽ρθει μὲ τὸ πρῶτο κλάμα τοῦ νεογέννητου; Ἦταν ἀλήθεια
τὸ ἄδικο; Ἡ μανία τῶν ἐθνῶν; Καὶ ὁ μόχθος νύχτα-μέρα;

Στὴν εὐνὴ τῶν βοτάνων βύζαινα τὴ λουίζα
κι οἱ Ἀρχάγγελοι ὅλοι Μιχαὴλ Γαβριὴλ
Οὐριὴλ Ραφαὴλ
Γαβουδελὼν Ἀκὴρ Ἀρφουγιτόνος
Βελουχὸς Ζαβουλεὼν γελούσανε σαλεύοντας
τὶς χρυσές τους κεφαλὲς καθὼς ἀραποσίτια·
ξέροντας πὼς ὁ μόνος θάνατος ὁ μόνος εἶναι αὐτὸς
ποὺ ἔφτιαξαν μὲ τὸ νοῦ τους οἱ ἄνθρωποι

Καὶ τὸ μεγάλο ψέμα τους τὸ Δέντρο δὲν ὑπῆρχε.

ΤΗΝ ΑΛΗΘΕΙΑ ΤΗΝ «ΦΤΙΑΧΝΕΙ» ΚΑΝΕΙΣ
ΑΚΡΙΒΩΣ ΟΠΩΣ ΦΤΙΑΧΝΕΙ ΚΑΙ ΤΟ ΨΕΜΑ.

THE ANTIPHONIST:

and sleep was sweet full of half-moons
brooks in C major for viola d'amore.

There were daisies you ate
and others that lit up in the dark like fireworks;
the vast grass groaned and made the love;
under your feet passed stars
like flocks of fish and the cove
deep blue advanced in your entrails –
how good it was!

The angels teased me; often
gathered around me they'd ask:
"what's pain?" and "what illness?" and I didn't know at all.
I didn't know I hadn't even heard about
the Tree from where death entered
the world. So? Was death true? Not him – the other
who comes in the newborn's cry? Was it true
injustice? The nations' mania? Night and day toil?

Downwind of herbs I sucked in basil
and all the archangels Michael Gabriel
Uriel Raphael
Gabudel Achir Ariukh
Belial Zabuleon laughed stirring
their golden heads like corn;
knowing the only death the only one is that
which people made up with their minds

And their great lie the Tree did not exist.

YOU "FIX" A TRUTH
EXACTLY AS YOU FIX A LIE.

Η ΜΑΡΙΑ ΝΕΦΕΛΗ ΛΕΕΙ:

ΠΑΤΜΟΣ

Εἶναι πρὶν τὸν γνωρίσεις ποὺ ἀλλοιώνει ὁ θάνατος·
ἀπὸ ζώντας μὲ τὶς δαχτυλιές του ἐπάνω μας
ἡμιάγριοι τὸ μαλλὶ ἀναστατωμένο σκύβουμε
χειρονομώντας πάνω σ' ἀκατανόητες ἅρπες. 'Αλλ'
ὁ κόσμος φεύγει...
Αι ἄι δυὸ φορὲς τ' ὡραῖο δὲ γίνεται
δὲ γίνεται ἡ ἀγάπη.

Κρίμας κρίμας κόσμε
σ' ἐξουσιάζουν μέλλοντες νεκροί·
καὶ κανεὶς κανεὶς δὲν ἔλαχε
δὲν ἔλαχε ν' ἀκούσει ἀκόμη
κὰν φωνὴν ἀγγέλων κὰν ὑδάτων πολλῶν
κὰν ἐκεῖνο τό «ἔρχου» ποὺ σὲ νύχτες ἀυπνίας μεγάλης ὀνει-
    ρεύτηκα

'Εκεῖ ἐκεῖ νὰ πάω σ' ἕνα νησὶ πετραδερὸ
ποὺ ὁ ἥλιος τὸ λοξοπατάει σὰν κάβουρας
κι ὅλος τρεμάμενος ὁ πόντος ἀκούει κι ἀποκρίνεται.

Πάνοπλη μὲ δεκάξι ἀποσκευὲς μὲ sleeping bags καὶ χάρτες
πλαστικοὺς σάκκους κοντάμετρα καὶ τηλεοπτικοὺς φακοὺς
κιβώτια μὲ φιάλες μεταλλικὸ νερὸ
κίνησα — δεύτερη φορὰ — καὶ τίποτα.

Κιόλας ἡ ὥρα ἐννιὰ στὸν μόλο τῆς Μυκόνου
ἔσβηνα μὲς στὰ οὖζα καὶ στὰ ἐγγλέζικα
θαμώνας ἑνὸς οὐρανοῦ ἐλαφροῦ ὅπου ὅλα
τὰ πράγματα βαραίνουν δυὸ φορὲς τὸ βάρος τους
ἐνῶ τεντώνεται ἀπὸ τ' ἄστρα ὁ λῶρος
νὰ κοπεῖ καὶ χάνεσαι...

Κοιμήθηκα ὅπως μόνον μπορεῖ νὰ κοιμηθεῖ κανεὶς
πάνω σ' ἕνα κρεβάτι ποὺ τὸ ζέσταναν οἱ ράχες ἄλλων·
βάδιζα λέει σὲ παραλία ἐρημικὴ
ὅπου ἡ σελήνη αἱμορραγοῦσε καὶ δὲν ἄκουγες παρὰ

MARIA NEFELE:

PATMOS

Before you meet death changes you;
alive still with his fingermarks
on us half-wild hair agitated we bend
gesturing over incomprehensible harps. But
the world leaves...
Ai ai the beautiful can't happen twice
nor love.

Too bad world too bad
the future dead rule you
and no one no one's had the chance
chance yet to hear
not one voice of angels nor waters
nor that "come" that in nights of great insomnia I dreamt.

There there I go on a loose-rocked island
the sun treads on crookedly like the crab
and the entire trembling basin of the sea listens and calls back.

Armed fully with sixteen baggages sleeping bags maps
plastic sacks tape measures and teleoptic lenses
crates of bottled mineral water
I set out – the second time – and nothing.

Already nine o'clock on Myconos pier
erased among the ouzo and the English
habitué of a weightless sky where all
things weigh twice their weight
while the umbilical stretches from the stars
to break and you're lost...

I slept as only one can sleep
on a bed warmed by the backs of others
I was walking rather on a deserted shore
where the moon hemorrhaged and you heard nothing but

Η ΜΑΡΙΑ ΝΕΦΕΛΗ ΛΕΕΙ:

τοῦ ἀνέμου τὰ πατήματα πάνω στὰ σάπια ξύλα.
Ὣς τὸ γόνατο μὲς στὰ νερὰ πῆρα νὰ φέγγω
ἀπὸ μέσα μου μεράκι ἀλλόκοτο
ἄνοιξα τὰ πόδια
σιγὰ-σιγὰ τὰ σπλάχνα μου ἄρχισαν
μὼβ κυανὰ πορτοκαλιὰ νὰ πέφτουν·
μὲ στοργὴ σκύβοντας τά 'πλενα ἕνα-ἕνα
προσεχτικὰ πρὸ πάντων στὰ σημεῖα ποὺ ἔβλεπα
νά 'χουν ἀφήσει οὐλὲς οἱ δαγκωνιὲς τοῦ 'Αόρατου.

Ὥσπου τὰ μάζεψα ὅλα στὴν ποδιά μου
δίχως νὰ βηματίσω προχωροῦσα
φυσοῦσε ἡ μουσικὴ καὶ μ' ἔσπρωχνε
κομμάτια θάλασσες ἐδῶ — κομμάτια θάλασσες πιὸ πέρα.
Θέ μου ποῦ πάει κανεὶς ὅταν δὲν ἔχει μοίρα
ποῦ πάει κανεὶς ὅταν δὲν ἔχει ἀστέρι
ἄδειος ὁ οὐρανὸς ἄδειο τὸ σῶμα
καὶ μόνο ἡ πίκρα στρογγυλὴ γεμάτη
μὲς στὴ σελήνη τὴ μισὴ σαλεύοντας τ' ἀγκάθια της
ἕνας ἀκόμη ποὺ δὲ γίνεται ποτὲ νὰ πιάσεις
θηλυκὸς ἀχινός.

'Επάνω κεῖ ξύπνησα μὲς στὸ ξένο σπίτι·
πασπατεύοντας μέσα στὰ σκοτεινὰ τὸ χέρι μου
πάνω στὸ ψαλιδάκι τῶν νυχιῶν ἔβρισκε τὴν αἰχμή.
Λύση τῆς συνεχείας τοῦ δέρματος
ἡ αἰχμὴ λύση τῆς συνεχείας τοῦ κόσμου.
'Εδῶθε ὁ χαμὸς — ἐκεῖθε ἡ σωτηρία.
'Εδῶθε τὸ mercurochrome τὸ tensoplast
ἐκεῖθε τὸ θηρίο λυμαίνοντας τὶς ἐρημιές
οὐρλιάζοντας δαγκώνοντας
σούρνοντας μέσα στοὺς καπνοὺς τὸν ἥλιο.

ΟΤΑΝ ΑΚΟΥΣ ΑΕΡΑ
ΕΙΝΑΙ Η ΓΑΛΗΝΗ ΠΟΥ ΒΡΥΚΟΛΑΚΙΑΣΕ.

the wind's steps on the rotten wood.
Up to the knee in the water I took to glowing
from inside me a strange gusto
I opened my legs
slowly slowly my guts began
mauve cyanic orange to fall;
tenderly bending I washed them one by one
carefully especially the parts I saw
left with lesions where the Invisible had bit.

Until I gathered them all in my apron
without walking I advanced
the music blew and pushed me
pieces of sea here – pieces of sea further on.
My God where does one go without a fate
where without star
empty sky empty body
and only bitterness round full
inside the halfmoon stirring her thorns
one more you can never touch
female urchin.

Right there I woke in the strange house;
my hand groping in the dark
across the nail scissors found the sharp
break in the continuity of the skin
the sharp break in the world's continuity.
Here loss – there salvation.
Here mercurochrome tensoplast
there the beast hungry in the deserts
howling biting
dragging the sun through the fumes.

WHEN YOU HEAR WIND
IT'S CALM TURNED VAMPIRE.

Ο ΑΝΤΙΦΩΝΗΤΗΣ ΛΕΕΙ:

PAX SAN TROPEZANA

Τί βουβάλα πού 'χει γίνει τώρα τελευταΐα ή γῆ!
Πορπατάει στὰ τέσσερα καὶ ρουθουνίζει ἀπὸ χαρὰ
ντέεε ὄξ!
Δόξα νά 'χουν οἱ καθεστωτικοὶ πατέρες
εἰρήνη βασιλεύει
ζῶα μικρὰ μετὰ μεγάλων ἐκεῖ πλοῖα διαπορεύονται...

Βυζιὰ βαμμένα παντελόνια δίχρωμα
ψάθες ὑπερμεγέθεις ὅλων τῶν εἰδῶν
οἰκόσημα πλουσίων πριγκίπων ὑποψηφίων μαζοχιστῶν
συγγραφεῖς ἐξ ἀποστάσεως
ἠθοποιοὶ τῶν εἰκοσιτεσσάρων ὡρῶν
οὐροῦν στὴ θάλασσα κι ἐκβάλλουνε μικρὲς κραυγὲς
μιξοευρωπαϊστί:
οὔ-οὔ οὔ-οὔ!

Ψηλὰ στὸν οὐρανό κενὰ μαῦρα
χαίνουν καὶ ἡ ὄσμωση
τῶν ψυχῶν ἀφήνει νὰ ξεχύνεται πυκνόρρευστος καπνός.
Κάποτε διαφαίνεται τὸ βλέμμα ἑνὸς Ἁγίου
ἄγριον ὅσο ποτὲ
«δὲν ἔχει σημασία ἡ σημασία εἶναι ἀλλοῦ»
χρωματιστὰ πασπατευτὰ πᾶν πλήθη
μὲ μισόκλειστα μάτια μπουσουλώντας
ντέεε ὄξ!
Pax
Pax San Tropezana
εἰρήνη βασιλεύει.
Μιξοευρωπαϊστὶ τὰ πάντα λέγονται
γίνονται ξεγίνονται
μ' εὐκολίες μὲ δόσεις.
Καιρὸς τῶν ἀνταλλακτικῶν:
σπάει λάστιχο— βάζεις λάστιχο

THE ANTIPHONIST:

PAX SAN TROPEZANA

What a great cow earth's become these days!
Walks on all fours breathing heavily with joy
gee-up!
Glory be to the established fathers
peace reigns
small and large animals there by ship traverse...

Painted tits two-tone pants
oversize straw hats of all fashion
coats of arms of rich princes aspiring masochists
authors by distance
twenty-four-hour actors
they piss in the sea and emit small cries
mix-European
ou-ou ou-ou!

High in the sky black voids
gape and the odor
of souls lets a thick-flowing smoke escape.
Occasionally a Saint's gaze appears clearly
fierce as never
"there is no meaning meaning is elsewhere"
colored and felt-up the multitudes go on
with half-closed eyes like toddlers crawling
gee-up!
Pax
Pax San Tropezana
peace reigns.
Mix-European everything gets said
gets done undone
with easy terms and installments.
Time of spare parts
bust a tire — change a tire

Ο ΑΝΤΙΦΩΝΗΤΗΣ ΛΕΕΙ:

χάνεις Jimmy— βρίσκεις Bob.
C'est très pratique πού 'λεγε κι ή Annette
ή ώραία σερβιτόρισσα τοῦ Tahiti.
Τῆς εἶχανε ὑπογράψει δεκαεννέα ἐραστὲς τὰ στήθη της
μαζὶ μὲ τὸν τόπο τῆς καταγωγῆς τους
μιὰ μικρὴ τρυφερὴ γεωγραφία.

Ὅμως θαρρῶ στὸ βάθος ἦταν ὁμοφυλόφιλη.

ΤΡΩΓΕ ΤΗΝ ΠΡΟΟΔΟ
ΚΑΙ ΜΕ ΤΑ ΦΛΟΥΔΙΑ ΚΑΙ ΜΕ ΤΑ ΚΟΥΚΟΥΤΣΙΑ
ΤΗΣ.

THE ANTIPHONIST:

lose a Jimmy – find a Bob
c'est très pratique as Annette would say
the beautiful waitress of *Tahiti.*
Her breasts were autographed by nineteen lovers
together with their place of birth
a small tender geography.

But I think deep down she was a homosexual.

EAT PROGRESS
WITH HER PEELINGS AND PIPS.

Η ΜΑΡΙΑ ΝΕΦΕΛΗ ΛΕΕΙ:

ELECTRA BAR

Δυὸ-τρία σκαλοπάτια κάτω ἀπ' τὴν ἐπιφάνεια
τῆς γῆς — κι εὐθὺς λυμένα τὰ προβλήματα ὅλα!
Κρατᾶς τὸν κόσμο τὸν μικρὸ σ' ἕνα μεγάλο κρυστάλλινο πο-
τήρι·
μὲς ἀπὸ τὰ παγάκια βλέπεις τὰ νύχια σου χρωματιστὰ
πρόσωπα ποὺ ἀόριστα χαμογελᾶνε·
βλέπεις τὴν Τύχη σου (ἀλλ' αὐτὴ πάντοτε μὲ στραμμένη ράχη)
Μέγαιρα ποὺ σ' ἀδίκησε καὶ ποὺ δὲν ἐκδικήθηκες ποτέ...

Ἆ, τί καλὰ ποὺ 'κανε ἡ Ἔρικα
ἱπταμένη συνοδὸς τῆς Ὀλυμπιακῆς
περνάει ψηλὰ πάνω ἀπὸ τὶς πρωτεύουσες·
ἐγὼ πρέπει νὰ τὶς περνῶ ἀπὸ κάτω
κάτω ἀπ' τὰ κήτη — κάτω ἀπὸ τὰ χοντρὰ χορτάτα σώματα
ἐὰν ποτέ μου ἀξιωθῶ (καὶ πάλι ζήτημα εἶναι)
τὴ φλέβα ἐκείνη ὅπου κυλάει ἀκόμη τὸ αἷμα τοῦ Ἀγαμέμνονα
χωρὶς ἄλλη βοήθεια κανέναν ἄγνωστο ἀδελφὸ —

Δῶστε μου ἑνα gin-fizz ἀκόμη.

Ὡραῖα ποὺ εἶναι ὅταν θολώνει τὸ μυαλὸ — ἐκεῖ σκοτώνουν οἱ
Ἥρωες
στὰ ψέματα ὅπως στὸν κινηματογράφο
ἀπολαμβάνεις αἷμα· τὴν ὥρα ποὺ τὸ ἀληθινὸ
κουρναλάει ἀπὸ τὰ σκαλοπάτια
τὸ ἀγγίζεις μὲ τὸ δάχτυλο καὶ σοῦ ξυπνᾶ ἡ κατάρα
ἡ Βασίλισσα μὲ τὶς ἀράχνες
τὰ μάτια της ἀχτύπητα κι ὅλο σκοτάδι
βόσκω τοὺς χοίρους κουρεμένη καὶ ἄσκημη
αἰῶνες τώρα ἔξω ἀπὸ τὰ τείχη
περιμένω τὸ μήνυμα — τὸν πρῶτο πετεινὸ μέσα στὸν Ἅδη
κάτι σὰν τὸ σαξόφωνο μὲ ἀνταύγεια οὐρανικὴ
καριτσάκια ποὺ τρέχουνε καβάλα σὲ καουτσουκένιους δρά-
κοντες.

MARIA NEFELE:

ELECTRA BAR

Two or three steps below the surface
of the earth – and all your problems solved directly!
You hold the small world in a large crystal glass;
through ice cubes you see your colored nails
faces that smile indefinitely;
you see your Luck (but always with her back turned, her)
Virago that crossed you and you never revenged...

Ah Erica was right
the flying stewardess of Olympic
she passes high above the capitals;
I must pass below them – below the fat fed bodies
if I can ever achieve (and again that's debatable)
that vein where Agamemnon's blood still flows
without other help other unknown brother –

Give me another gin-fizz.

It's so lovely when the mind clouds – there heroes kill
make-believe like in the movies
you get your fill of blood; at the hour when the real thing
gurgles down the stairs
you touch a finger and wake the curse
the Queen with spiders
her eyes unbeaten and full of dark
shorn and ugly I pasture swine
eons now outside the walls
I wait for the message – the first cock in Hell
something like the saxophone with a heavenly gloss
like young girls running riding dragons of rubber

Η ΜΑΡΙΑ ΝΕΦΕΛΗ ΛΕΕΙ:

Ἡ Γῆ τώρα μονάχα ἀποκαλύπτεται πόσο μεγάλη στὴν πραγ-
ματικότητα εἶναι.
Βροντάει ὁ Ζεὺς
μαυρίλα
βροντάει ὁ Ζεὺς
δὲν εἶναι ἥττα μήτε νίκη αὐτό.
Κάτι ἄλλο ἂς τολμήσουμε οἱ ἐνταφιασμένοι.

ΟΠΟΙΟΣ ΜΠΟΡΕΙ ΚΑΙ ΦΟΡΤΙΖΕΙ ΤΗΝ ΕΡΗΜΙΑ
ΕΧΕΙ ΑΚΟΜΗ ΑΝΘΡΩΠΟΥΣ ΜΕΣΑ ΤΟΥ.

MARIA NEFELE:

Earth only now revealed how great in reality.
Zeus thunders
blackness
Zeus thunders
neither defeat nor victory this.

Let's risk something else, we, the interred.

WHO CHARGES SOLITUDE
STILL HAS HUMANS INSIDE HIM.

ΚΑΙ Ο ΑΝΤΙΦΩΝΗΤΗΣ:

Η ΑΠΟΚΑΛΥΨΗ

Στενὸς ὁ δρόμος — τὸν πλατὺ δὲ γνώρισα ποτὲ
ἀνίσως κι ἦταν μιὰ φορὰ μονάχα
τότες ποὺ σὲ φιλοῦσα κι ἄκουα θάλασσα...

Κι εἶναι ἀπὸ τότες λέω — εἶναι ἡ ἴδια ἡ θάλασσα
φτάνοντας μὲς στὸν ὕπνο μου πού 'φαγε τὴ σκληρὴ τὴν πέτρα
κι ἄνοιξε τ' ἀχανῆ διαστήματα. Λόγια ποὺ ἔμαθα
σὰν περάσματα ψαριῶν πράσινα
μὲ γαλάζια κιμωλία χαρακωμένα
παραμιλητὰ ποὺ ξυπνητὸς ξεμάθαινα
καὶ πάλι κολυμπώντας ἔνιωθα κι ἑρμήνευα
Ἰωάννης τῶν ἐρώτων
μπρούμυτα
στὶς κουβέρτες κρεβατιοῦ ἐπαρχιακοῦ ξενοδοχείου
μὲ τὸ γλόμπο γυμνὸ στὴν ἄκρη ἀπὸ τὸ σύρμα
καὶ τὴ μαύρη κατσαρίδα σταματημένη πάνω ἀπ' τὸν νιπτήρα.
Πρὸς τί πρὸς τί νά 'σαι ἄνθρωπος
ὁ βαθμὸς τῆς πολυτέλειας μὲς στὸ ζωικὸ βασίλειο
τί μπορεῖ νὰ σημαίνει
ἐξὸν κι ἂν ἔχεις ὦτα ἀκούειν
μὴ φοβοῦ ἅ μέλλεις πάσχειν.

Ἐγὼ δὲν ἐφοβήθηκα
ἐγὼ διόλου ταπεινὰ ὅμως ὑπόμεινα
ἐγὼ τὸν θάνατο εἶδα τρεῖς φορὲς
ἐγὼ μὲ διώξανε ἀπ' τὶς πόρτες ἔξω.

Ἂν ἔχεις ὦτα ἀκούειν. Ἐγὼ ἄκουσα
βουὴ σὰν ἀπὸ πελαγίσιον κόχυλα
καὶ στρέφοντας μέσα στὸ φῶς ἄξαφνα εἶδα
τέσσερα μελαψὰ στὴν ὄψη ἀγόρια
ὁποὺ φυσοῦσαν κι ἔσπρωχναν ἔσπρωχναν κι ἔφερναν
κομμάτι γῆς φτενὸ ζωσμένο στὴν ξερολιθιὰ
ὅλο-ὅλο εφτὰ ἐλαιόδεντρα
κι ἀνάμεσό τους γέροντας ἔμοιαζε βοσκὸς
τὸ πόδι του ξυπόλυτο πάνω στὴν πέτρα.

THE ANTIPHONIST:

THE APOCALYPSE

Narrow the road – the wide I never knew
unless just once
then when I kissed you hearing the sea...

And it's from then I speak – it is the same sea
reaching into my sleep that ate hard stone
and opened borderless. I learned words
like a passage of green fish
with blue chalk inscribed
sleeptalk that I unlearned awake
and swimming again felt and interpreted
John of the loves
face down
on the blankets of a bed in a provincial hotel
with the bulb naked at the end of the wire
and the black cockroach stopped on the sink.
To what to what to be human
the luxury grade in the animal world
what can it mean
except if you have ears hear
don't fear what you will have to feel.

I didn't fear
I not at all humbly however endured
I saw death three times
I they threw me from the doors outside.

If you have ears hear. I heard
a roar as from a pelagic shell
and turning in the light suddenly saw
four dark-in-the-face boys
that blew and pushed pushed and brought
a piece of thin earth belted in drystone
all in all seven olive trees
and among them old he seemed the goatherd
his foot unsandaled on the stone.

ΚΑΙ Ο ΑΝΤΙΦΩΝΗΤΗΣ:

«Ἐγὼ εἶμαι» μοῦ εἶπε «μὴ φοβᾶσαι
κεῖνα πού 'ναι γραφτὸ νὰ πάθεις».
Καὶ τὸ χέρι τὸ δεξὶ τεντώνοντας
μοῦ 'δειξε μὲς στὴν ἀπαλάμη του τὰ έφτὰ βαθιὰ χαράκια:
«Τοῦτες εἶναι οἱ θλίψες οἱ μεγάλες
καὶ αὐτὲς θὰ γραφτοῦν στὸ πρόσωπό σου
ὅμως ἐγὼ θὰ σοῦ τὶς σβήσω μὲ τὸ ἴδιο ἐτοῦτο χέρι
ποὺ τὶς ἔφερε».

Καὶ μεμιᾶς πίσω ἀπ' τὸ χέρι του εἶδα — φάνηκε
συρφετὸς πολλῶν ἀλαλιασμένων ἀπὸ τρόμο ἀνθρώπων
ὅπου φώναζαν κι ἔτρεχαν ἔτρεχαν κι ἔσκουζαν
«Ἰδοὺ ἔρχεται ὁ Ἀβαδδὼν ἰδοὺ ἔρχεται ὁ Ἀπολλύων».
Ἔνιωσα ταραχὴ μεγάλη καὶ ὄργητα
μὲ κυρίεψε. Ἀλλ' ὁ ἴδιος συνέχισε:
«Κεῖνος ποὺ ἀδίκησε ἂς ἀδικήσει ἀκόμη. Κι ὁ βρωμιάρης
ἂς βρωμίσει περισσότερο. Καὶ ὁ δίκαιος
πιὸ δίκαιος ἂς εἶναι». Κι ἐπειδὴ ἀναστέναξα
μὲ γαλήνη ἀπέραντη ἅπλωσε τὸ χέρι
ἀργὰ πάνω στὸ πρόσωπό μου
κι ἦταν γλυκὺ σὰν μέλι ἀλλὰ πικράθηκαν τὰ σωθικά μου.

«Δεῖ σε πάλιν προφητεῦσαι ἐπὶ λαοῖς καὶ ἔθνεσι
καὶ γλώσσαις καὶ βασιλεῦσι πολλοῖς»
εἶπε· καὶ βγάζοντας λευκὲς φωτιὲς ἔσμιξε μὲ τὸν ἥλιο.

Τέτοιο τὸ πρῶτο μου ὄνειρο ποὺ ἀκόμη
νὰν τὸ χωρίσω ἀπ' τὶς φωνὲς τῆς θάλασσας
καὶ νὰ τὸ σώσω καθαρὸ δὲ γίνεται.
Δὲ γίνεται μέσα στὰ λόγια τ' ὄνειρο.
Τὸ ψέμα μου εἶναι τόσο ἀληθινὸ
ποὺ ἀκόμη καῖν τὰ χείλη μου.

ΑΝ ΔΕΝ ΣΤΗΡΙΞΕΙΣ ΤΟ ΕΝΑ ΣΟΥ ΠΟΔΙ ΕΞΩ ΑΠ' ΤΗ ΓΗ ΠΟΤΕ ΣΟΥ ΔΕΝ ΘΑ ΜΠΟΡΕΣΕΙΣ ΝΑ ΣΤΑΘΕΙΣ ΕΠΑΝΩ ΤΗΣ.

THE ANTIPHONIST:

"It's me" he said "don't be afraid
of what is written you to feel."
And stretching out his right hand
showed me in his palm the seven deep entrenchments:
"These are the great sorrows
and these will be written on your face
though I'll erase for you with this same hand
that brought them."

And at once behind his hand I saw — it appeared
a mob of many men speechless from fear
who cried and ran ran and squealed
"There comes Avathon there comes the Releaser."
I felt great turbulence and anger
mastered me. But he himself went on:
"Let who cheated cheat still. And the filthy
be filthier. And the just
more just let be." And because I sighed
with endless serenity he stretched his hand
slowly on my face
and it was sweet as honey but it embittered my gut.

"You must again prophesy to peoples and nations
and tongues and many kings"
he said; and shooting white flames joined the sun.

Such my first dream that still
I cannot part it from the voices of the sea
and save it clean.
It can't be done in words the dream.
My lie so real
My lips burn still.

IF YOU DON'T FIX YOUR FOOT
OUTSIDE THE EARTH YOU'LL NEVER
MAKE IT TO STAY ON HER.

AFTERWORD

If there is a humanistic view about the mission of Art, this, I believe, is the only way it can be understood: like an invisible operation, which is a facsimile of the mechanism we call Justice — and naturally I am not talking about the Justice of the courts but about the other Justice, which is consummated slowly and equally painfully in the teachings of the great magistrates of mankind, in the political struggles for social liberation and in the loftiest poetic accomplishments. From such a great effort, the drops of light fall slowly every now and then into the vast night of the soul like lemon drops into polluted water.

— ODYSSEAS ELYTIS, *Open Book*
translated by Theofanis G. Stavrou

For one who has read as much of the work of Odysseas Elytis as has been brought into English from the original Greek, the mere mention of his name brings certain words and images leaping to mind: justice, liquidity and liquid light, Beauty with a capital B, and perhaps most of all the notion of otherness and glimpses of the perpetual "other side" of experiences and things.

But for those among us who have not looked closely at the poems of Elytis, he remains a slightly aloof Nobel Laureate often mentioned as a "surrealist poet" as though he were a functionary of some mysterious European literary cartel. It is an unfortunate position, both for the poet and for the North

American reading public, but one that will soon, no doubt, be corrected. The surrealism (the "super-realism") of Elytis should not be confused with the more programmatic surrealism of French poets of the middle decades of this century. Elytis's poetry, I suggest, draws not so much from modern artistic movements as from the deepest wells of practical classicism. In attitude, he often resembles Anaximander, the presocratic who found in the perpetual struggle of opposites the supreme movement of the Unbounded. Like the presocratics, Elytis is far more interested in the origins and sources of mythology (in the *mechanism*, to use his own term), than in the figures themselves. Like Hesiod, he draws on antiquity, adding his own gods and goddesses to an ever-changing pantheon.

His earliest poems explore nature and metamorphoses and are primarily responsible for his categorization as a surrealist. In his second period, during which he wrote one of the great long poems of this century, *The Axion Esti*, he searched for newer forms and methods while struggling with an ever-greater "historical and moral awareness." In recent years, his work is best exemplified by *Maria Nephele* (Maria Cloud), a long poem consisting of "parallel monologues" between Maria, a punk *bête noir* filled with the ennui of disillusionment, and the older male "Antiphonist." But defining these three periods in his work is also self-defeating: his career has been one of singular development.

Although associated with René Char while he was in Paris, Elytis actually resembles Camus, both in tone and in stance, more than he does any of the French poets. In Greece, his name is often mentioned in conjunction with that of George Seferis. But while Seferis, influenced by the neo-classical Modernists Pound and Eliot whom he translated, felt altogether at home with the figures of Antigone, Œdipus, et al, Elytis prefers characters entirely his own, but characters which nonetheless are the embodiment of mythological figures. In this, he would probably prefer Seferis's Stratis the Mariner to his Antigone. Like Seferis, and like Kavafis before him, Elytis makes use of both the old, "pure" *katharevousa* and demotic Greek, bringing the whole of the language to bear fruit. But in Elytis, the archaic word is rare, and when used, it is used with great precision. He also evokes a powerful sense of place through the use of many regional dialects.

In Elytis's poetry, the major elements are air and water (yet another presocratic connection). And like the poets of the classical Orient, he struggles in a search for a Paradise – not the eternal innocence of dogma, but a Paradise within. "When I say 'paradise,' I do not conceive of it in the Christian sense. It is another world which is incorporated into our own, and it is our fault that we are unable to grasp it." Our inability to realize the Paradise within, creates a sense of tragedy of enormous proportion, one that is itself the "other side" of Camus's sense of the absurd. Just as Camus was not an existentialist, Elytis is not a surrealist. Both are Mediterranean pre-classicist sensibilities, and each represents a deep humanitas. And while Elytis adores innocence for what it is, his is a search for enlightenment, for the "drop of light in the vast night of the soul." He struggles to achieve not the French sense of *la belle clarté*, not clarity for its own sake, but for "limpidity." He says of this struggle, "What I mean by limpidity is that behind a given thing something different can be seen and behind that still something else, and so on and so on. This kind of transparency is what I have attempted to achieve. It seems to me something essentially Greek."

Not the figures of mythology, but the mechanism – a search for the psyche, for the breath of life, for light, for air, in a dark, drowning world. So that Maria of the Clouds can become Mary and Helen and Antigone, but alive among the statuary which represents (and mocks) them. "If you move from what is to what may be," Elytis says, "you pass over a bridge which takes you from Hell to Paradise. And the strangest thing: a Paradise made of precisely the same material of which Hell is made. It is only the perception of the order of the materials that differs..."

In Elytis, one is always entering another life. Unlike

Seferis, who spent a lifetime struggling against melancholy, Elytis finds hope even in tragedy, and heroism in the Beautiful. In his *Open Book*, he speaks of Matisse painting "the most juicy and ripe, the most charming flowers and fruits which were ever made" during the years of Auschwitz and Buchenwald, "as if the very miracle of life had found a way to coil within them for good." Just as we often disregard the prophet who shows us the realpolitik of our afternoon reverie, we are startled by the prophet capable of dreaming the Beautiful in the face of enormous tragedy. Elytis is a poet deeply engaged with his time.

Imagination and reality are not separate, mutually antagonistic things, but are in fact the two faces of one being. Rather than attempting to answer mysterious riddles, Elytis reveals the Mystery. Just as we can glimpse the Then in the Now, we see the possible through the impossible, the dream in the wakeful deliberate act. The apparent detachment of Elytis is not unlike the seeming remoteness of the Zen master—we must surrender the self before we can bathe in radiance. "The light of the sun and the blood of man are one." Like the Zen master and the Taoist ascetic, he approaches religion with an open heart and a skeptical eye because, after all, "Man is drawn to god like a shark to blood." For Elytis, the metaphor is a means of transcendence, a glimpse of satori. But there is always that "other" or "other side" beyond.

Like Herakleitos, he understands that "war is universal, and that justice is strife." Unlike Herakleitos, he does not disregard all sensory data; eroticism in Elytis is not just a metaphor.

And if these notes after the poems of Odysseas Elytis make the poet sound difficult, I might quote Yeats (or Ezra Pound quoting Yeats) to the effect that beauty is difficult. But after the difficulty comes the ease. Justice is strife, but through Justice, we may arrive at Paradise. Only through the eyes of wisdom can the poet perceive the true power of innocence. "Let them call me crazy/ that out of nothing is born our Paradise."

And is it not the power of innocence which declares during the Nazi occupation of Greece in 1943, "What I love is at its beginning always"? He says elsewhere (in the *Open Book*), "I do not speak about myself. I speak for anyone who feels like myself but does not have enough naïveté to confess it. If there is, I think, for each one of us a different, a personal Paradise, mine should irreparably be inhabited by trees of words that the wind dresses in silver, like poplars, by men who see the rights of which they have been deprived returning to them, and by birds that even in the midst of the truth of death insist on singing in Greek and on saying 'eros, eros, eros!'"

Elytis is, finally, a poet of enormous charity and hope. I went with my partner and our daughter to visit him in his apartment in Athens in 1983. I knew that he spoke very little English and that we would have to converse with the aid of an interpreter. He seated the three of us on a couch and poured us bourbon. Wanting to get business out of the way, I explained that a book published in North America would not bring him much in the way of royalties. I asked about his Greek publisher, having found everyone we met in Greece knew his poems well enough to recite passages or whole poems.

"My publisher," he said, "prints about 25,000 copies. And then, after a few weeks, when they're sold, they bring it out in paper."

I explained how Americans do not read poetry.

"That doesn't matter," he said with a wave of the hand. "A real poet needs an audience of three. And since any poet worth his salt has two intelligent friends, he spends his whole life searching for the third reader."

His personal fastidiousness and his personal charm are not in the least at odds with the charm and care of his poems. A Greek poet with a Nobel Prize in literature is a national figure. The flood of requests for his time never slows. And yet he retains his propensity for generosity, and his utter lack of pride.

"The poet must be generous," he wrote in the *Open Book*. "Not wishing to lose even a moment from your supposed talent is like not wishing to lose even a drachma from the interest of the small capital donated to you. But Poetry is not a bank. On the contrary, it is the conception which actually opposes the bank. If it becomes a written text communicable to others, so much the better. If not, it does not matter. That which must happen and happen uninterruptedly, endlessly, without the slightest irregularity, is anti-servility, irreconcilability, independence. Poetry is the other face of Pride."

—SAM HAMILL

Notes

Quotations from *Open Book* are drawn from *Analogies of Light*, edited by Ivar Ivask and published by University of Oklahoma Press (1975, 1981). Other sources include Edmund Keeley's *Modern Greek Poetry* (Princeton University Press, 1983), and Jeffrey Carson's *49 Scholia on the Poems of Odysseus Elytis* (Ypsilon Books, 1983).